ループから抜け出せない
悪役令嬢は、
諦めて好き勝手生きることに
決めました2
The villainess, stuck in a loop, decides to give up and live as she pleases!
日之影ソラ
illustration 輝竜 司

「影よ――捕えなさい！」
太陽と影の守護者
ヴィクセント家当主
セレネ・ヴィクセント
「太陽の輝きよ！
私をお守りください」
太陽の異能を持つ
セレネの妹
ソレイユ・ヴィクセント

「ボクはその場に行けませんが、
王城で応援しています。
頑張ってくださいセレネさん！」
ヴェルクシュト王国国王
ユークリス・ヴェルト
「お前も自分で妹と向き合うべきだ」
不死身の身体を持つ
月の守護者
ディル・ヴェルト

「……お前は、誰だ？」
太陽と影の守護者
ヴィクセント家前当主
ラルド・ヴィクセント

「私は見ての通り人間……
貴女たちがよく知る
シオリア・ヴィクセントで間違いないわ」
シオリアの母にして
ラルドの妻
シオリア・
ヴィクセント
「……私を本気で殺すのね」
セレネの実の母親
ニーナ・
ヴィクセント

「さっきの情報は……」

「お前も見たのか？」

「ディルも？」

「ああ。守護者が生まれた時の記録……

いや、記憶か」

「あなたは見たのね」

「……は、はい」

「大丈夫か？」

「はい。突然だったので驚いただけです」

「今のは守護者たちが誕生した頃の記憶ね」

「ああ。守護者より先に魔獣が生まれて、
それに対抗するために王と諸語者たちが生まれた……

っていう流れだったみたいだな」

「王の誕生は、人々の願いだったのかしら」

「そう聞こえた。いや、感じられたな」

CONTENTS

ループから抜け出せない悪役令嬢は、諦めて好き勝手生きることに決めました

The villainess, stuck in a loop, decides to give up and live as she pleases!

日之影ソラ illustration 輝竜 司

2

第一章

終わらない今

命には死という終わりがある。この世に生まれた生命は必ず、死という終着点へとまっすぐ歩き始める。

誰もが知っている当たり前のことで、みんないつの日か訪れる終わりの瞬間を恐怖し、一秒でも長く生き続けたいと願う。

死とは恐ろしく、辛(つら)いものだと思いがちだ。ただ、何も悪いことばかりじゃない。終わりがあるからこそ、限りある生を後悔なく生きようとする。

限りある命だと理解しているからこそ、命と命は惹(ひ)かれ合い、生きた証をこの世に残そうと思えるのだろう。

もしも、生きている間に願いを全て叶(かな)えることができて、何一つやり残したことはないと言い切れる人生を送れたなら、死は悲劇ではなくなる。辛く苦しい人生を送っている者にとっても、死という終わりは救いになるかもしれない。

そう、人生には終わりが必要なのだ。

終わりがない人生を、限りのない今を自堕落に生き続けることに意味はない。死んでも死ねない身体、死んでも巻き戻る時間……それは、空(むな)しいだけだ。

王城の地下に隠された部屋。そこには巨大な石板がある。王族しか立ち入ることが許されない場所に、王族ではない私は足を踏み入れている。

初めては許可なく侵入して、石板の存在を知った。

それが今や、現国王と石板のある部屋に立ち入っている。人生は何が起こるかわからない。だからこそ意味がある。

そんなことを噛みしめながら、突きつけられた現実と向き合い、私はため息をこぼす。

「はぁ……また、この時間ね」

私の眼前には石板がある。

中心には人間らしきものが描かれていて、その人物の左胸には円が描かれている。円は心臓を表しているのだろう。そこへ四方から六つの手が伸びている。

初見で私たちはこれを、王の心臓に手を伸ばす六人の守護者たちだと解釈した。守護者はその名の通り、王を守るためにいるとされている。

しかしどう見てもこの絵の中では、王を守ろうとするのではなく、その心臓……力に手を伸ばそうとしていた。

そして、石板に手を触れた途端、その一部が変化したことにも驚いた。石板の左上、太陽と月が描かれていた部分と、中心人物の影らしきものが描かれていた場所。

二か所が灰色から黒へと変色した。変化した部分に何が描かれているかわからない。だけどこの変化のおかげで、石板にはまだ隠された何かがあると気づけた。

そうして私たちは、石板を完全に変化させるため、他の異能者から異能の一部を奪うために行動を開始した。

幸いなことに、私は異能者の中でも異端だ。不吉の象徴とされる『影の異能』には、他の異能を吸収する力が備わっている。

この力を使い、他の五人の異能者たちと接触し、時には戦闘を繰り広げたりして、無事に全ての異能を手に入れることができた。

ようやく秘密がわかる。私がどうしてループし続けるのか。その答えを知れば、ループという地獄から解放される。

私は期待していた。だからこそ、落胆は大きかった。

私の眼前の石板は、以前に見せた変化で止まったままだ。触れようとゆっくり手を伸ばして、ピタリと途中で止める。

そんな私を隣で見守っていたディルが、目を細めて名前を呼ぶ。

「セレネ」

「……ええ、わかっているわ」

私は手を引っ込めて、改めて石板を見上げる。

「確認するが、ループしたのは石板に触れた直後だったんだな？」

「そうよ」

「石板の変化は？」

「する前にループしたから見られなかったわ。けど、何かが変わりそうな気配はしたわよ」

私は石板を見つめながら、状況を整理するようにディルと話す。

今の私の中には、太陽を除く五つの異能の力が宿っている。各守護者の身体に触れることで回収した力の一部だ。

この状態で触れることで、石板に異能の力が吸収され、まだ変化していない残りの部分にも変化が生まれる……はずだった。

私がこの石板に触れた途端、気がつけばベッドの上で眠っていた。今までのように殺されたわけじゃない。

十一回目にして初めて、死以外の理由でループさせられた。もっとも、これまでのように婚約破棄される場面まで巻き戻りはしない。

石板に触れる前日の午後一時に戻っただけだ。どういう理屈かわからないけど、ループで戻される地点が更新されている？

もしくは死んでループしたわけじゃないから、一日しか戻されなかったのか。理由がわからないまま、私たちは確認のために石板の部屋を訪れていた。

「意味がわからないわね」

「ああ、けどよかったよ。誰かに殺されたり、苦しんで死んだわけじゃなくて」

「それはさっきも聞いたわ。ひょっとして、あなたまでループしているのかしら？」

「はっ、まさか」

冗談交じりで言った私の一言に、ディルは呆れたように笑いながらそう答えた。

ディル・ヴェルト。かつてこの国の王族だった彼は、月の異能に目覚めたことで世界中から忘られてしまった。

記憶からだけではなく、世界中にあった彼の痕跡も抹消されてしまった。まるで、ディル・ヴェルトという男は、最初からいなかったかのように……。

彼のことを覚えているのは、世界で唯一、彼の実の弟であり、守護者を束ねる現代の国王だけだった。

自分が生きていることで弟を不幸にしてしまう。終わらない今を無意味に生きることにうんざりした彼は、私に殺してほしいと懇願した。

不死身の肉体を持つ彼は、どんな怪我や病気をしても瞬時に回復してしまう。心臓を潰されようとも、首をはねられたとしても、彼は生き続ける。

そして彼は、私がループしていることを知っている数少ない人で、ループ中の記憶の一部を補完することができる。

私たちはお互いの目的を果たすために、互いを利用し合う関係……協力者ではなく、共犯者と呼ぶべき関係になった。

月の異能の秘密、彼がどうして世界中から忘れられてしまったのかが描かれていた、石板はそれらを知る希望だった。

表情や言葉には一切見せないけれど、彼も落胆しているに違いない。

そしてもう一人、ガッカリしているであろう人物が口を開く。

「ともかく、セレネさんが無事で何よりでした」

「無事ねぇ……何も得られなかっただけよ？」

「それでもです。こうしてまた、お会いすることができてボクは嬉しい」

「……そう」

優しい笑顔を見せる少年こそ、この国を統べる王であり、異能者たちが守護する存在。ユークリス・ヴェルト、現代の国王様だ。

王の異能を受け継いだ彼は、幼くして国王の座についた。その日をきっかけに、兄であるディルは存在を忘れられ、彼が世界でディルのことを知っている唯一の存在になってしまった。

兄のことを慕っていた彼にとって、兄に起こった悲劇は堪えがたく……そして、原因が自分にあると考えた。

異能が発現したタイミングは二人とも一緒だった。彼が王の異能に目覚めた時、ディルは月の異能に目覚め、存在を忘れられた。

自身が異能を覚醒させたせいで、兄は忘れ去られてしまったのかもしれない。そう考えた彼は、初めて私と会った時、自分を殺してほしいと懇願した。

子供ながらに真剣で、心から死を望んでいる姿は、とても自分より年下の少年が見せる覚悟ではなかった。

もしもあの時、私が断っていなければどうなっていたのだろう？

王が死んだ後で、異能はどう変化したのだろう。もしかしたら、全ての異能が消え失せて、私の問題も解決していたかもしれない。

ただ、その場合の結末は……考えるまでもなく決まっている。だから、ちゃんと拒絶した過去の私にお礼を言いたいくらいだ。

「けど、何も得られなかったことは嘆かわしいわ。せっかくここまで来たのに、何の進展もなかったということよ」

「そんなことはありません。セレネさんがループを体験したおかげで、この石板にお二人に起こっていることと関係する何かが隠されている……という仮説がより確かなものになりました」

「そうだな。意味もなくループしたとは思えない」

「はい。兄さんの言う通り、意味はあるのだと思います。そして、見られなかったということも大きな進展です」

私とディルの後ろで話していたユークリスが、ゆっくりと前へ歩き出し、私たちより前に出る。

そして、彼はおもむろに石板に触れた。

「っ……」

「ユークリス！」

石板に触れて苦しそうな顔をしたユークリスを、ディルが慌てて引きはがす。触れたのはほんの一瞬だったけど、ユークリスの額からは汗が流れ落ちる。

おそらく石板に王の力の一部を吸収されたのだろう。

「勝手に触っちゃダメだろ！」

「ごめんなさい、兄さん」

ユークリスの突然の行動に驚いたディルは、心配と焦りで表情に余裕がなくなる。どこまでも弟想いの兄だ。ユークリスは反省した顔を見せる。

「けど、見てください」

ディルに支えられながら、ユークリスは石板を指さす。

私とディルが石板に視線を向け、ほぼ同時に驚き目を大きく見開いた。

「これは……」

「石板の色が……」

変化している。初めて私とディルが触れた時と同じように、灰色だった石板が黒色に変色していた。変化したのは、中心に描かれていた人物だけだ。

おそらく予想通り、中心に描かれていたのは王の異能を持つ者だったのだろう。現国王であるユークリスが触れたことで、彼の中にある異能に反応し、石板の一部が変化した。

ユークリスはもう大丈夫だとディルに言い、石板のほうへ指をさしながら説明する。

「見ての通り、ボクが触れたことで石板は変化しました。けど、ループは起きていません。そうですよね？」

ユークリスは私に確認を求めてくる。

「ええ、何も起きていないわ」

「ありがとうございます。ボクが触れてもループしない。ちゃんと石板も変化している。けれど一度目は……失敗した。それってつまり、石板が完全に変化する条件は揃っていたからなんじゃないでしょうか」

ユークリスは真剣な表情でそう語る。

石板に全ての異能を吸収させることで、完全に変化した石板が生まれる。その解釈は正しく、残る五つの異能を吸収させれば条件は満たされる。

現に変化した色の位置からも、各守護者の異能だけが足りていないのは明白だ。ユークリスが触れて中心の人間が変化したことで、描かれた人物が王と守護者であることは確定した。

彼の言っていることは理解できる。

でも、ならばどうして……。

「ループしたのかしら？　条件が満たされているなら問題なかったはずよ」

「それについて仮説があります。聞いてもらえませんか？」

「お願いするわ」

「ありがとうございます」

ユークリスは嬉しそうに笑って感謝を口にした。そのまま一回咳払いをして、石板に視線を向けながら説明を始める。

「条件は満たされていた。けれど失敗した。それってつまり、不足があったということだと思うんです」

「不足？　条件は満たされたという仮定はどうしたの？」

「表面上は満たされていた……と、ボクは考えました」

　ユークリスは続ける。

　表面上……すなわち、条件が満たされているようで、実際は満たされていなかった。例えば揃えたものに偽物が紛れこんでいたとか。

　あるいは量が少しだけ足りなくて、変化の途中で不具合が発生したとか。

　私は自分の胸に手を添えて考える。

「偽物……は考えにくいわね。ここにある力は全て、現在の守護者たちから直接奪い取ったものよ。偽物だとは思えないわ」

「そこは俺も同感だ。何人かは俺も直接見ているし、異能の力の偽物なんてそもそも存在しないと思っている」

「そうですね。だったら量はどうですか？」

「同じだけ吸い取っているわ。一人目のお父様と同じ……」

　ふと、気づく。私は五人の守護者たちから異能の一部を吸収した。その始まりは、太陽の異能を宿していた前当主……お父様との戦いだった。

思い出してから改めて、石板に描かれているものを確認する。

変色が進んでいないのは、守護者たちだと思われる人物の周りだった。

「六人……」

守護者の数は六人。星、大地、水、大気、森、そして……太陽。私が宿す影の異能は、太陽の異能と対になっている。

二重の勘違いをしていたのかもしれない。影と太陽は表裏一体で、どちらか片方を満たせばいいのだと思っていた。

私が触れた時、月と太陽が描かれていた部分も変色している。私の中にあったお父様の異能が、条件を満たしてくれたのだと。

もし、どちらも間違っていたとしたら？

「足りないのは……太陽の異能だというの？」

そういうことになる。だが、太陽と影の異能は同じヴィクセント家に生まれる異能で、どちらか片方が顕現すれば、もう片方は生まれないはずだ。

それに私は、異能が移行した後の残りとはいえ、同じ量だけお父様から太陽の異能を吸収し、石板に触れている。

悩む私に、ユークリスがぽつりと呟く。

「足りなかったのではなく、不完全な力だったのかもしれません」

「不完全？」

彼はこくりと頷く。

「前当主の異能はすでに弱っていたと聞きます。その力を吸収したのなら、量は同じでも、力の質は大きく劣っていたのではないかと」

「質……力の濃さみたいなものかしら？」

「はい。あくまでも予想なのですが、この石板から考えられるのは、太陽の異能の不足です」

「確かに、変化していない部分に六人映ってるわけだしな。そう考えるのが妥当か」

ディルもユークリスと同じ考えにたどり着いたらしい。かくいう私も、二人の意見と同じことを考えていた。

ただし、その場合はこれ以上為す術がない。

「どうしようもないわね。もう、この世に太陽の守護者はいないわ。私に影の異能が発現し、お父様から異能が消えた時点で……」

もう二度と手に入らない力だ。

たとえば、私が子供を産んで、その子供に太陽の力が宿り、その力を吸収してしまえば可能かもしれない……と、思いついた自分に失笑する。

自分の目的のために誰かと子を作り、その子供を利用する？

そんな行為が許されるはずがない。生きるためにはどんなことでもすると決めた私だけど、それだけは手を出すべきじゃない。

それをすれば、私はお父様を責められなくなるから……。

すると、ユークリスが私に言う。

「その件なのですが、本当にもう発現しないのでしょうか？」

「ん？　どういう意味？」

「太陽の異能と影の異能、二人が同時に存在できない理由はなんなのでしょう？」

「理由は……わからないわね」

そういうものである。明確な理由を知っているわけではなく、そういうものだと教えられてきた。

いいや、ヴィクセント家に残っている書物に……書いてあった？

「王城には異能に関する書物が数多く残されています」

「知っているわ。前に忍び込んで調べたもの」

軽い犯罪行為をさらっと教えると、ユークリスは苦笑いしていた。王族しか入れない場所に無断で侵入していたのよ？

書庫に忍び込んだくらい今さらでしょう。

ユークリスは改めて続ける。

「書庫にある書物をボクも読んでいます。その情報によれば、影の守護者が確認されたのは過去に一度だけです。その時、太陽の守護者は生まれなかった……なんて記載はないんです」

「――――！」

そう言われてハッと気づく。私も王城の書庫にある書物や、ヴィクセント家に保管されている本は読み漁（あさ）った。

影の異能は自分の力だから、どういうものかを知りたくて。結局、噂程度の情報しか残されていなかったから落胆したのだけど……。

影の守護者はヴィクセント家の人間として生まれた。それ故に、太陽と影の異能は表裏一体で、どちらかが生まれるものだと思われていた。

しかし、影の異能が発現した事例は、私を除けば一度しかない。たった一回の結果では、片方しか生まれないと断定できない。

何より、ユークリスが言った通りだ。

どの文献にも、太陽の守護者についてでは明記されていないだけで、生まれなかったとは一言も記されていなかった。

「おそらく長い歴史の中で、どちらか片方しか生まれないと……そういう風な解釈が生まれて、現代に受け継がれてしまったのだと思います」

「……そう言われると納得できてしまいそうね」

だとしたら間抜けにも程があるわ。

私も、ヴィクセント家の人間も、その先祖たちも……。

勝手な思い込みを代々大事に受け継いで、盛大に勘違いをしていたかもしれないなんて。馬鹿らしくて笑ってしまう。

「あくまで仮定なので、そうだと断言はできませんが……」

「いえ、十分よ。私じゃずっと見落としていたわ。よく気づいてくれたわね」

「お役に立てたのなら嬉しいです」

嬉しそうにニコッと微笑むユークリスを見て、少しだけ褒めてあげたい気分になった。子供らしさも相まって、母性本能をくすぐるのだろうか。

改めて見ても、二人が兄弟とは思えない。似ていると言えば似ている部分はあるけど、やっぱり別人だと言われても不思議じゃない。

じっとディルを見ていると、彼は首を傾げる。

「なんだ？」

「……弟のほうがあなたより賢そうね」

「うっ……俺を馬鹿みたいに言わないでほしいんだが」

「そ、そうですよ！　兄さんはボクより頭もいいです！」

「やめろユークリス……なんだかみじめだ」

「ふふっ」

やっぱり兄弟ね。ちゃんと息も合っているし、仕草や笑い方もよく似ている。もしも異能が発現せず、ずっと一緒に生活していたら……二人はもっと似ていたのかもしれない。

兄弟とはそういうもので……当たり前なことだ。

だとしたら、私と……。

「ソレイユ」

「セレネの妹だな」

「ええ。もし太陽の異能を発現するとしたら、彼女しかいないわ」

「放っておいたら、セレネにもう一つ発現する……とかはありえないのか？」

「可能性は低いわね。もしも二つ発現できるなら、太陽の異能だけ遅れている理由の説明ができないでしょう？」

「それもそうか」

二つの異能を宿した人間は、過去から現代において一人も確認されていない。長い歴史の中で、異能を宿す家同士が血を交わらせた事例もあった。

子供は二人生まれ、それぞれが別々の異能を宿していたという。

何より、異能を宿した今だからこそ感じられるこの力の大きさは……とても二つも抱えられるような代物じゃない。

改めて考えても、ソレイユに太陽の異能が覚醒する可能性が一番高そうだった。

私はディルに尋ねる。

「ソレイユの様子はどう？　異能に覚醒している感じはあったかしら？」

「……なんで俺に聞くんだよ」

「私より貴方のほうが話す機会も多いでしょ？」

「気づいてたのか」

「当然よ」

私が当主になってから、ソレイユはよくディルに私の様子を尋ねていた。何度か廊下で話している姿を目撃している。

「知ってるなら声をかけてあげたらいいじゃないか」

「私から？　別に、あの子と話すことなんてないわよ」

「その割には気にしてるよな。屋敷でも必要以上に、彼女と接触しないように気をつけているだろ？」

「余計なことを考えたくないだけよ」

私には目的がある。ループの手掛かりを探すために、自分以外の守護者から異能を奪う必要があった。

異能者でもなければ当主でもない。そんな彼女には関係ないことだ。だから話すことなんて何もないし、関わる必要もなかった。

けれど、それが今になって……関わらなければいけなくなった。

正直、少しだけ憂鬱だった。

「とりあえず、明日にでも聞いてみるしかないわね」

「ちなみにだけど、なんて聞くつもりだ？」

「貴方、異能に目覚めているんじゃないの？」

「……もう少し優しい聞き方をしてやってくれ。怖がられるぞ」

ディルが呆れてため息をこぼす。

「そう思うなら貴方が代わりに聞けばいいじゃない」

「それはダメだ」

珍しくキッパリとディルは否定した。ディルなら文句を言いながらもやってくれそうな気がしていた私は、思わず面食らってしまう。

そんな私にディルは真剣な表情で言う。

「お前たちは姉妹だろ？　姉妹の問題は姉妹で解決すべきだ」

「……ディル、説得力ないわよ」

「うるさいな！　俺のことはいいんだよ！　確かにお前にも手伝っては貰(もら)ったが、ちゃんと言うべきことは自分で言った！　はずだよな？」

ディルは不安そうにユークリスに視線を向けて確認する。するとユークリスは優しく微笑み、軽く頷いて肯定した。

ホッとするディルは改めて私に言う。

「だから、お前も自分で妹と向き合うべきだ」

「偉そうによく言うわね」

「いいんだよ。俺が言わなきゃ、誰も言わないだろ？」

「……そうね」

きっと、私に言いたいことがあったとしても、多くの人は怖がって口に出せない。家族であっても……それは変わらない。

そう考えると、思ったことをずばっと言ってくれるディルの存在って、私にとっては唯一なのかもしれないわね。

「ふふっ」

「急にどうした？　思い出し笑いでもしたか？」

「なんでもないわ。それじゃ、うるさいから明日自分で聞くわよ」

「そうしてくれ。俺は隣で見守っておく」

「ボクはその場に行けませんが、王城で応援しています。頑張ってくださいね、セレネさん！」

「ええ」

ユークリスからの応援も貰い、私は石板を見上げる。

「今日はここまでね」

「はい」

「そうだな」

これ以上、石板からわかる情報はなさそうだ。

「じゃあ今日は解散ね」

「あ、その前に一つだけいいか？」

と、呼び止めたのはディルだった。

彼は改まった様子で、私に話しておくことがあると口にする。この時点で私は、彼が何を伝えたいのか察しがついた。

「俺はお前に謝らないといけない。俺は――」

「言わなくていいわよ。それはもう聞いた話だから」

「え、聞いたって……ああ、ループで」

「ええ」

この場所で、彼は私に謝罪した。

死にたいという願いは真実ではなくて、本心ではみんなと共に生きていたい。だから、異能というものを世界から消してしまいたい。

死を望んだ彼の本当の願いは、普通の人間として生きて死ぬことだった。

改まって言うことじゃない。私は、ずっと前から気づいていた。

口では死にたいと言いながら、彼はいつだって生きることを考えていた。死を恐れ、抗（あらが）っているようにも見えた。

「貴方は死にたいわけじゃない。ただ、普通に生きて、普通に死にたいだけ……でしょ？」

「ああ、その通りだ」

そう言って彼は苦笑いをする。

「なんだか複雑な気分だな。決死の覚悟で伝えようとしたことを、先に言い当てられた上、理解もされているとか」

「安心して。明日、夢から覚めれば全部思い出すでしょ？」

「それはそうなんだが……なんとなく負けた気がするんだよ」

「何よそれ。勝負なんてしてないわよ」

ディルは意外と負けず嫌いだ。

「じゃあ、いいんだな？　俺は異能を消し去りたいと思っている。ユークリスも」

ディルが彼に視線を向けると、彼は頷く。

「ボクも兄さんと同じ想いです。異能の力は強力で、便利なものです。でも、人は特別な力なんてなくても生きていけます」

「ふふっ、同じセリフね」

あの時のユークリスとまったく同じセリフを耳にして、なんだか不思議な気分になる。同一人物なのだから当然だし、今までだって何度も経験したはずなのに。

私は二人の言葉を聞き、小さく笑って答える。

「いいわよ。異能がループに関係している可能性が高いみたいだし、私も……こんな力を望んでいたわけじゃないもの」

結局のところ、私もディルと同じなんだ。

特別な力なんていらない。境遇も、立場も、権力だって必要ない。ただ、普通の人間のように生きて、最後は幸せに死ぬことができたら……。

「不思議ね。初めて会った時は、私たちの目的は対極にあったのに」

「あの頃から間違っていたんだ。少なくとも俺はな」

「そうね」

だったら尚更、この関係は間違っていないのでしょう。

私たちはお互いの目的を果たすために共犯者となった。そして今も……。

「私の願いはあの頃から何も変わっていないわ。それが達成できるのなら、異能を消すことになっても躊躇(ちゅうちょ)はないわよ。仮にそうなって、この国がどうなっても構わないわ」

「そこは心配いりません。国のことはボクのお仕事です」

「俺も手伝うさ。もう王族には戻れそうにないけど、補佐くらいはできるだろ」

「兄さんならボクより国王に向いていますよ」

「やめてくれ。俺よりずっと若いのに国王として頑張ってる。お前以上の適任はいないよ」

「同感だわ」

私もディルと同じ考えだ。幼いのに国王としての役目を果たせている。この結果こそ、ユークリスの王としての素質を証明していた。

「そう……なんでしょうか」

「ああ、自信を持て。これからは、俺も傍(そば)にいるから」

「兄さん」

「よかったわね。ユークリス」

「はい！」

満面の笑みを見せるユークリス。

もはやそこには、自死を願ったかつての彼はどこにもいない。ただ兄を慕い、共にいられる時間を心から喜ぶ一人の少年がいた。

視界の端にはずっと、不完全に変色した石板が見えている。

また触れてしまったら、この時間もなくなってしまうのだろう。私は覚えていても、二人の記憶からはなかったことになる。

ディルは一日待てば思い出すけど、ユークリスは完全に忘れてしまう。私はそれでもいい。ただ、二人が交わした時間を奪ってしまうのは申し訳ないと思う。

私は一人で歩き出す。

「セレネ?」

「私は先に屋敷へ戻っているわ。二人はもう少しここで話していていいわよ」

「え、それならセレネも一緒に」

「馬鹿ね。せっかく兄弟らしく話せる場所よ?　ここは部外者が立ち入れないんだから」

この部屋から出てしまえば、二人はまた無関係な他人として振る舞わなければならない。せっかくゆっくり話せる場所であり、時間なんだ。

そんな時間を邪魔するほど、私は無神経じゃないわよ。

ディルの足なら誰にも見つからず、監視の目を盗んで抜け出すくらいできるでしょう。そこは上手く弟と協力してもらえばいいわ。

「じゃあ、また後でね?」

「……ああ、ありがとな、セレネ」

「ありがとうございます」

「お礼なんていらないわ」

そう言い残し、私は一足早く影に潜った。

真っ暗な世界を通り、屋敷の近くまで移動する。私たちの目的が達成されれば、この便利な力もなくなってしまう。

慣れない程度に、せいぜい快適な生活を楽しませてもらいましょう。

異能なんて本来、人間が持つべき力じゃない。普通の家庭に生まれ、普通の貴族として育っていれば、縁もゆかりもなかったはずだ。

改めて思う。

運命とは、つくづく皮肉なものだと。

多くの人が憧れる力を持っているのに……そういう人間こそが、普通の生活に憧れている。力なんていらないと、心底思ってしまっている。

ならば結局、この力は何のためにあるのだろうか？

誰が望んだ力なのだろう。

疑問を胸に抱きながら、私は屋敷の入り口へと足を運んだ。

「――やっと見つけたわ。セレネ」

玄関を開けて中に入ると、一人の女性が立っていた。

彼女を一目見た瞬間、私の脳内に一言が浮かぶ。

――台無しだ。

ディルとユークリス、彼らとの時間は穏やかで、考えることは多いけど、一緒にいて落ち着ける場所だった。

二人の兄弟らしいやり取りが見られて、案外悪くない気分だったのに……。

彼女の作り笑いを見たせいで、全てが吹き飛んでしまった。

「どこかへ出かけていたの？　お付きの人もつけずになんて不用心よ」

「……」

彼女は気さくに話しかけてくる。ヴィクセント家の当主である私に対して、まるで仲がいい姉妹のように……いいえ、母親みたいに心配して。

私は小さくため息をこぼし、彼女に問いかける。

「……どうして、貴女がここにいるのですか？　お義母様」

「あら？　おかしいかしら？　私の屋敷に帰ってきただけよ？」

「……」

シオリア・ヴィクセント。前当主である父の妻であり、ソレイユの実母。私にとっては……赤の他人だけど、一応義母ではある。

できれば会いたくなかった人物だ。おそらく、お互いに会いたくはなかっただろう。

だから彼女はずっと、本宅ではなく別荘で生活していた。私が愛人の娘であると露見した日から……今日まで。

私は彼女をじっと見つめる。

「その顔……私のことは嫌いかしら？」

「ええ、好きではないわ」

「あらあら、ハッキリと言ってしまうのね？」

「あの頃とは立場が違うわ」

今の私はヴィクセント家の当主だ。前当主の妻であっても、私のほうがこの家での権威は大きい。

むしろ、彼女のほうこそ態度を改めるべきだろう。

いや、立場の有無は無視しても、私は彼女のことが好きじゃない。理由は明白だ。彼女が……私のことを嫌っているから。

ただ、初めから嫌っていたわけじゃない。


私とシオリアはただの他人だ。愛人の娘だった私は、その事実を隠すためにヴィクセント家に迎え入れられた。

当然、シオリアはその事実を知っている。自分がお腹を痛めたわけじゃないのに、勝手に子供が増えるなんてありえない。

つまり、彼女は理解した上で私に接していた。どういうわけか、初めて会ったころの彼女は、私にも優しかった。

父が私に優しくしていた理由はわかる。屋敷の人間や外から見られた時に、私が愛人の子供だと気づかれないようにするためだろう。

ただ彼女は……本来もっと怒るべき立場だった。

それなのに、彼女は私のことを本当の娘のように可愛がってくれた。でも、ソレイユが生まれたことで彼女の態度は豹変した。

私に、害虫を見るような目を向ける。視界に入らないでほしいと暴言を吐かれたり、話しかけても一切答えてくれなかったり。

優しかったはずの人が突然変わってしまって、私は悲しい以上に動揺した。そうした時間が流れるうちに、私はいつしか……この人のことが嫌いになっていた。

今だからわかる。きっとあの頃の私は……裏切られた気持ちでいっぱいだったんだと。


「ひどい子ね。傷ついちゃうわ」

「下手な演技はやめてもらえるかしら？　傷つくわけがないでしょう？　だって、お母様も私のことは嫌いでしょ？」

「……ふふっ、私は一度も、嫌いなんて言ったことはないわよ？」

ならばどうして、態度を急変させたの？

逃げるように本宅からいなくなって、別荘で暮らし始めたのはなぜ？

と、問い質そうと口が動き、私は咄嗟に口を塞いだ。言及したところで無意味だと理解しているから。

高ぶる気持ちを抑え込むように、私は大きく長く呼吸を一回する。

そうして、改めて彼女と向き合う。入り口を塞ぐように立っている彼女に言う。

「そこを退いて」

「せっかく久しぶりに会えたのよ？　もっとお話をしましょう」

「お義母様と話すことなんて何もないわ。それに……ここは玄関よ？」

「そうだったわね。なら、奥の部屋でゆっくりお話でもするかしら？」

彼女はニコッと笑みを浮かべて尋ねてきた。

白々しい質問だ。そんなこと、私が望むはずないと理解しているくせに。

「言ったはずよ。貴女と話すことなんて一つもないわ。いいからそこを退きなさい」

「つれないわね。いいわ、私も雑談をするために、ここで貴女を待っていたわけじゃないのよ」

「……どういう意味かしら？」

質問する私に対して、彼女は不敵な笑みを浮かべる。

初めて見るような不気味な笑顔に、思わず背筋がぞくっとする。こんな感覚は初めて……いいや、魔物と対峙している時に似ている。

もちろん相手はただの人間だから、魔物のような威圧感も不気味さもない。それなのに、どうして頭の中で、魔物を連想したのだろう。

「話なら手短に済ませてもらえる？　私はこれでも忙しいのよ」

「それは当主だから？」

「ええ、もちろんよ」

「ふふっ、ならその必要は……もうなくなるわね」

彼女は不敵な笑みを浮かべたまま、私のことをあざ笑うように見つめる。その表情が気に入らなくて、私は彼女を睨む。

「何を言っているの？」

「セレネ、貴女はもう当主である必要がないわ。だって、新しい当主がいるのだから」

「何をふざけたことを言っているのかしら？　お父様は当主じゃないわ。当主であるための条件を満たしていない。異能は失われたのよ」

「知っているわ。だから、あの人じゃないわよ」

コトン、コトン――

足音が聞こえた。彼女の背後から、誰かが近づいてくる音だ。

私は予感する。直前にディルたちと、あんな会話をした後だからだろう。

シオリアが言う新しい当主……その人物として思い浮かぶのは、お父様以外では一人しかいない。

「――新しい当主はこの子よ」

「……ソレイユ」

予想した通り、シオリアの後ろから現れたのはソレイユだった。見た目に大きな変化はない。ただ少し……表情が暗い。

私のことを見ながら、何かと葛藤するように眉を顰めている。

大方、シオリアに無理やり連れてこられたのでしょう。お父様は知っているのかしら？

どちらにしても、私はシオリアの言葉を否定する。

「何を言っているの？　ソレイユには無理よ。さっきも言ったはずよ」

ヴィクセント家を含む守護者の家系では、異能を宿していることこそが当主になる絶対条件であり、それさえ満たしていれば当主となれる。

だから私も、お父様から当主の座を奪うことができた。

逆に言えば、異能を持っていなければ、たとえ正当な血筋であろうとも、当主にはなれない。正妻の娘であるソレイユではあるが、当主になる資格がない。

「異能ならあるわ」

「――――！」

ただ、もしも……。

「見せてあげなさい。ソレイユ」

「まさか……」

異能を宿す人間が、同じ家に二人も生まれてしまったら？

「……ごめんなさい、お姉さま」

小さな一言で、ソレイユから謝罪の言葉が聞こえた。

直後、彼女を中心にしてまばゆい光が放たれる。温かくも力強い、太陽のごとき輝きが。

「これは……太陽の異能？」

「その通りよ、セレネ！　ソレイユは覚醒したの！　太陽の守護者として！」

歓喜に満ちた表情で声をあげるシオリア。

私は一人、目を疑う。予想はしていたけど、実際に目の当たりにすると驚きを隠せない。

それと同時に、私の心は震える。もちろん、喜びで。

これでちゃんと……太陽の異能を奪うことができる。

第二章
太陽が昇る

ソレイユは太陽の輝きを放つ。

その力は紛れもなく、太陽の異能の力だった。彼女の姿が、かつてのお父様の姿と重なる。

光は弱まり、消えていく。

「ソレイユ……」

「……」

じっと見つめる私に対して、ソレイユは無言で目を逸(そ)らす。後ろめたい気持ちがあることは、普段通りじゃない彼女を見れば明らかだ。

それとは対照的に、ソレイユの隣に立つシオリアは不敵な笑みを浮かべていた。

「これで納得できたかしら？　ソレイユこそ、ヴィクセント家の当主に相応(ふさわ)しいことが」

「……いつからなの？」

私は得意げな表情で語るシオリアを無視して、目を逸らしていたソレイユに問いかける。これまでのループでは一度も、彼女が異能を開花させることはなかった。だから私も、影と太陽の異能は同時に生まれないと思い込んでいた。

「いつから、異能に目覚めていたの？　ソレイユ」

「……お姉さま……」

「答えて、ソレイユ」

「……」

ソレイユは無言のまま視線を逸らす。

どうやら答え辛いことらしいので、私は鎌をかけてみることにした。

「ひょっとして、私と同じタイミングだったのかしら？」

「――っ!?」

ソレイユは驚いたように両目を見開き、びくりと身体を震わせた。

この反応……図星みたいね。

私はディルとユークリスの話を思い返していた。二人は異なる異能を、ほぼ同じタイミングに覚醒させたという。

あの話を聞いたときは、単なる偶然か。兄弟らしく仲のいいことだと思っていたけど、どうやら単なる運ではないようだ。

ともかく、ソレイユは異能に目覚めていた。私が影の異能に目覚めた時から……。

「どうして黙っていたの？」

「それは……」

「あら？　姉妹なのにそんなこともわからないのかしら？」

無視されていたシオリアが、無理矢理私たちの会話に入り込んでくる。邪魔をしないでという視線を向けた私に、シオリアはニヤリと笑みを浮かべて言う。

「貴女のことを気遣っていたのよ？　ねぇ、そうでしょう？　ソレイユ」

「……」

「気遣い？　何を気遣っていたのかしら？」

「わからない？　この屋敷に貴女の居場所はなかった。もし自分に異能が発現したと周囲が知れば、ますます貴女のことをぞんざいに扱うようになってしまう。そんな可哀想なお姉さまを見たくない。そう思ったのよ」

ソレイユの気持ちを代弁するようにシオリアが得意げに説明する。ソレイユは否定こそせず、申し訳なさそうな表情を見せる。

まったく同じではないにしろ、似たような感情はあったのだろう。

ソレイユは優しい……というより、甘い。

「この子のやさしさに感謝しなさい。おかげで貴女も、いい夢を見られたでしょう？」

「……はぁ」

私は大きくため息をこぼし、ソレイユとシオリアを交互に見てから口を開く。

「ソレイユが異能に目覚めていることはわかったわ。確かに当主となる資格は持っているようね」

「ええ、見ての通りよ」

「――でも、忘れていないかしら？　私もその資格を持っているのよ。お父様と違って、力を失っているわけでもないわ」

「そうね。おぞましい影の異能を持って生まれた可哀想な子……」

シオリアは憐れむような視線で私を見つめる。

ただの挑発でしかない。私は構わず反論を続ける。

「私はお父様から当主の座を引き継いだわ。今の当主はこの私よ。お父様の時のように、資格を失っていない私を、貴女たちの都合で交代させることはできないわ」

「……ええ、知っているわよ」

シオリアは不敵に笑う。

「だから、お願いしに来たのよ」

彼女はずっと笑っている。私と対面した瞬間から、どんな話をする時も、その不敵で不気味な笑顔を崩さない。

それが心から……気持ち悪いと思った。

シオリアは私に告げる。気持ち悪い笑顔を崩さぬままに。

「ソレイユに当主の座を譲りなさい。セレネ」

「……何を言い出すかと思えば……はぁ、そんなことを私が認めると思っているの？」

当然、認めるはずがない。

私がヴィクセント家の当主になったのは、自分の目的を果たすために都合がいいからだ。私はまだ何も達成していない。

ようやく走りだしたところで、みすみすこの座を誰かに譲る気はない。

「いいの？　これはチャンスなのよ？」

「チャンス？」

「ええ、この提案を受け入れれば、貴女は当主の座を自ら譲ったことになるわ」

「……それが何のチャンスなのかしら？」

シオリアの口角が一気に吊り上がり、狂気に満ちた笑顔で私に言う。

「まだわからないのかしら？　貴女はいずれ必ず、この子に当主の座を奪われるわ！　せっかく手に入れた場所を奪われるのよ！　惨めな思いをしたいなら止めないわ」

「……そういうことね」

私はため息すら出ないほど呆れてしまう。

自分から当主の座を降りれば、奪われてしまったという不名誉な肩書がつかずに済むから、この場でソレイユに当主の座を譲りなさい。

シオリアの言いたいことを理解した上で、馬鹿らしいと呆れてしまう。

そんなことを恐れて、私が当主の座を譲ると本気で思っているのだろうか？

お父様から当主の座を奪い、その地位や権力の全てを簒奪した私が、今さら自分の保身を考えるわけがない。

ずっと別宅に引きこもっていたせいで、私が今日までどんな振る舞いをしてきたのか知らないのかしら？

だとしたら滑稽だわ。

こんな茶番に付き合わされているソレイユも……少し気の毒に思えてしまうほどに。

「退きなさい、二人とも。もう話すことなんてないわ」

「当主の座を譲る気は……」

「ないわよ」

「あらあら、強情な子ね。一体誰に似たのかしら」

シオリアはやれやれと首を横に振り、わざとらしい身振りを見せる。

「いいわ。いきなりこんな話をされて混乱しているのね。明日……ううん、明後日まで待ってあげましょう。また聞きに来るわ」

「必要ないわ。どれだけ時間を待っても、私の意見は変わらない」

道を譲る気のないシオリアにしびれを切らし、私は堂々とまっすぐに歩き出す。このまま歩けば肩くらいはぶつかるだろう。

それでも関係ない。だってこの家の当主は……。

「私が当主よ」

私はシオリアと正面から向かい合う。お互いの手が届く距離で。ここまで来ても退いてはくれないらしい。

私は右手を軽く持ち上げ、自らの影を操ってみせる。

「――！」

すると、ようやく初めてシオリアの表情が崩れた。焦りが混じった笑顔を見せ、すっと私の前から退いた。

「……生意気な娘ね」

ぼそりと、シオリアから感情が漏れ出す。私は聞こえないふりをして、彼女の横を通り過ぎる。

そのままソレイユの隣へと向かい。

「お姉さま……」

「……」

何も言葉を交わすことなく、ただ通り過ぎた。

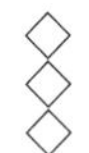

セレネが去った玄関に残されたソレイユとシオリア。

ソレイユはセレネが歩き去る背中を無言で見つめ、彼女が見えなくなるまでその場にたたずんでいた。

「お姉さま……」

口にはできずとも、様々な想いが彼女の中で渦巻いている。しかし、本当の想いを伝えることを、シオリアは許してくれない。

「ダメよ、ソレイユ」

「お母さま」

シオリア・ヴィクセント。ソレイユは実の母親である彼女の言葉には逆らえない。

「悪いと思ってはダメ。言ったでしょう？　悪いのは全部セレネなの。彼女が貴女から当主の座を奪ったのよ」

　シオリアは顔をソレイユに近づけ、御呪いでもかけるように、そっと耳元で囁く。ソレイユはその言葉に震えていた。

「で、ですがお母さま」

「口答えをするの？　私に？」

「――！　ご、ごめんなさい、お母さま」

「ふふっ、いいのよ。可愛い可愛いソレイユ」

　シオリアはソレイユの頬を撫でる。優しく、少しだけいやらしく……娘をめでる様子には見えず、どこか玩具を撫でているだけの子供のように。

「貴女は何も考えなくていいのよ。ただ私の言う通りにしていれば幸せになれるわ」

「……はい。お母さま」

　幸せとは何か。

　ソレイユの頭にはそんな疑問が浮かび、口に出すこともできず静かに胸の奥へとしまい込んだ。

「――本当なのか？」

「私が嘘を言っているように見える？」

「……」

遅れて屋敷へと戻ってきたディルが、私の顔をじっと見つめる。訝しむような視線が数秒続いて、呆れたようにため息をこぼす。

「見えないな」

「よくわかってるじゃない」

「最初から疑ってたわけじゃない。ただ……急すぎてな」

「私だってそうよ」

ディルにはすでに説明してある。

ソレイユが異能を開花させていたこと。その事実と共に、彼女の母親であるシオリアが本宅へ戻ってきて、ソレイユを当主に押し上げようとしていること。

「ユークリスとはゆっくり話せたの？」

「ああ、おかげさまでな。あいつもお前に感謝してるよ」

「そう。ならよかったわ」

「俺たちはな。お前はそれどころじゃないだろ？」

「そうでもないわ。予想していたことでしょう？」

太陽の異能を覚醒させるならソレイユしかいない。そう予想を立てて、明日には直接尋ねるつもりでいた。

　急展開ではあったけど、当初の予定を前倒しにできたのはいいことだろう。と、前向きに考えることもできるけど、ディルの言いたいことも理解できる。

「どうするつもりだ？　まさか当主を譲る気はないと思うが」

「当然よ。今の立場は便利だもの」

「便利ねぇ。まぁ理由はともかく、当主を交代する気がないのはわかった。俺としてもそっちのほうがありがたい」

「でしょうね。貴方の存在がバレるといろいろと面倒だもの」

　忘れ去られた元王族で、月の異能を持つ不死身の守護者。大地の守護者との一件もあって、彼の存在は要注意人物として認識されている。

　私が彼と共に行動していたことが露見すれば、当主の座を失う以上に面倒なことが起こることは明らかだった。

「だが、こっちはそのつもりでも、相手は黙っていないんじゃないか？」

「関係ないわ。今の当主は私だもの。私の意志を無視することはできないわ」

「じゃあ無視し続けるのか？」

「……そうね」

　正直、私は少し悩んでいた。

　このまま放置し続けるほうが得策なのか。当主としての立場を守るなら、それでもいい。けれど私たちの目的は、当主の座を守ることより……。

「太陽の異能を、どうやって奪うか……ね」

奪うだけなら簡単だ。

異能を開花させたとは言え、ソレイユは甘い。お父様のように、異能を振りかざし私を攻撃することも難しいはずだ。

強引な方法を取れば、異能を奪うなんて簡単に終わる。

ただし、私たちには立場がある。私はヴィクセント家の当主として、彼女もまた、当主となる異能を開花させたもう一人の候補として。

同じ家に、同時に異なる異能を宿した候補者が生まれた事例など初めてのことだ。少なくとも記録された歴史の中には残っていない。

まず間違いなく、多くの貴族たちが注目するはずだ。

そんな中、私が強引に彼女から異能を奪おうとすれば、最悪の場合全ての貴族たちが敵になる。

けれど力のない貴族がいくら徒党を組んでも関係ない。

問題は、ヴィクセント家を除く守護者の家系の動向だ。

一人一人ならともかく、彼らが全て敵に回ってしまえば、今後の行動にも支障をきたす。

できるだけ目立たず、穏便に済ます方法はないかと考える。すると、一緒に考えてくれていたディルから提案が聞こえる。

「寝ているところで、こっそり拝借するのはどうだ？　お前の異能なら簡単だろ？」

るなんて。

「なっ！」

「貴方って意外とひどいこと考えるのね」

「なんだ？」

「……ディル」

意外だった。まさかディルの口から、女の子の寝込みを襲ってしまえ、みたいな意見が飛んでく
るなんて。

ディルは慌てて言い訳をする。

「別にひどいことをするわけじゃないだろ？　というか、するのは俺じゃない」

「そうね。けど意外だわ。私よりも先に思いつくなんて」

「むしろお前は思いついてなかったのか？　真っ先に考えそうだと思ったんだが」

「ふふっ、残念ね。貴方のほうが先だったわよ」

適度にディルをからかって、私は彼の意見に賛同する。

「いいアイデアね。採用するわ」

「それはよかった」

「今夜実行するわ。貴方も一緒にくる？」

「俺は遠慮しておく」

「あら、残念」

一緒に来てくれたら、女性の寝室に忍び込んだひどい人、という煽(あお)りでからかえたのに。

同日の夜。

私はディルの提案に従い、ソレイユの寝室に忍び込む。影の異能の力があれば、誰の眼にも入らず侵入することは容易い。

私は容易に彼女の寝室に入り込んだ。

ただ……。

「……はぁ、そう」

ため息をこぼした。

部屋には誰もおらず、ベッドの掛布団も綺麗に畳まれ使用された形跡がない。部屋の中も不自然に整っている。

私は念のために部屋の中を散策し、その後に屋敷の中をぐるりと巡って確認を終えた。

当主の執務室に戻ると、私の帰りを待っていたディルと目が合う。

「どうだった？　回収……どうした？」

「いなかったわ」

「いない？　部屋にいなかったのか？」

私は首を横に振る。

「この屋敷のどこにもいなかったわ」

「……こっちの動きを勘づかれたか？」

「どうかしら。単に私のことを警戒して、昼のうちに別の場所に移動したのかもしれないわね」

一番の候補は別宅でしょう。

シオリアが長らく過ごしていた屋敷なら、ソレイユも何度か訪れたことがあるはずだ。

ディルが私に尋ねる。

「どうする？」

「……そうね」

場所の目星がついているのなら、予定通り彼女の寝室に忍び込んで異能を拝借することはできる。

ただ、屋敷を移動している用心さだ。おそらくソレイユの周りには警備の兵士が待機している。

戦闘になり、顔を見られるのは厄介だ。

「やめておきましょう」

「そうだな。そっちのほうが安全だ」

「ええ、けどこれで、他の方法を考えないといけないわね」

「タイミングの問題だと思うけどな」

ディルの言う通り、タイミングさえ一致すればソレイユから異能を拝借するチャンスはある。寝室に忍び込む方法も、これで完全に潰えたわけじゃない。

一先ず今は、もっと効率的な方法がないか探そう。

「向こうから襲ってきてくれたら楽よね」

「難しいだろ。あの子は優しい。拒絶されても尚、お前のことを心配しているような子だ」

「……そうね」

私も難しいとは思っている。

ただ、彼女の背後にはシオリアがいる。ソレイユは実母であるシオリアの言葉に逆らえない。彼女に戦えと命じられれば……。

ふと思い出す。この状況に至るまで、あの人はどうしているのだろうか。ソレイユを当主にしたかったのは、シオリアではなくむしろお父様のほうだ。

翌日の朝。

そうそうに私は屋敷内の変化に気づいた。

寝室から執務室へと向かう途中、お辞儀をして通り過ぎようとする使用人を呼び止める。

「止まりなさい」

「はい。なんでございましょうか？　当主様」

「これはどういうこと？」

「これ……とは……」

私はため息をこぼしながら続ける。

「惚けないで。私が気づかないと思っているの？」

強めに言い放つ私に、使用人はぶるっと身体を震わせて怯える。

私は周囲を見渡す。廊下を歩く使用人の数が、明らかに減っている。寝室から出てここに来るまで、ほとんど誰ともすれ違わなかった。

長く住んでいる場所だからこそ、変化には敏感に気づく。

「他の者たちはどうしたの？」

「そ、それが……」

使用人は言い辛そうに視線をさまよわせる。どう答えるべきか悩んでいるのは明白だ。

「いいから答えなさい。大体の予想はついているわ」

「――は、はい。シオリア様の意向で……使用人も別宅に移動するようにと……」

「はぁ、やっぱりそうなのね」

「申し訳ありません！」

使用人は勢いよく頭を下げて謝罪する。

「いいわ。貴女の責任じゃないでしょう？　それに、貴女は残っているのだから責める気はないわ」

「……はい」

「それで、どれくらい残ったの？」

「半数は……シオリア様とソレイユ様がいらっしゃる別宅に」

使用人は小さな声でそう語った。

昨日、私がシオリアと対面するよりも前に、すでに使用人たちには声をかけていたらしい。ソレイユに異能が覚醒したこと。いずれ新たな当主としてソレイユが立つことを宣言し、今から自分たちに従うようにと。

使用人たちも困惑したらしい。

目の前で異能の力を見せられ、ソレイユが太陽の異能を開花させたことは納得した。彼女にも当主となる資格がある。

が、現在の当主は私であり、私にも当主としての資格がある。

どちらの意志に従えばいいのか迷い、半数はシオリアに従った。今のヴィクセント家は、完全に真っ二つに割れている状況にあるらしい。

私に従うか、ソレイユを抱えたシオリアに従うか。

「面倒なことになったわね」

私は一人、ため息をこぼして廊下を歩く。

少しだけ静かになった屋敷の中には、私とソレイユの対立を不安に感じる声が上がっていた。今は私を選んでも、この選択が正しいのか自信がない。

開花させた異能も異なり、私は忌み嫌われている影の異能に対して、ソレイユは代々受け継がれた太陽の異能だ。加えてソレイユは本来、当主になることを期待されていた。

このまま時間が経過すれば、徐々にソレイユを支持する者たちが増えるかもしれない。そう感じながら執務室へ入る。

「やっときたか」

「遅くなってごめんなさい。ちょっと気になることがあって話を聞いていたのよ」

「使用人の数だろ？」

「貴方も気づいていたのね」

ディルはこくりと小さく頷いた。

「一目見ればわかる。昨日より半分くらいか？　使用人がいなくなっているだろ？」

「正解よ。人数までバッチリね。たぶん、理由も貴方が考えていることで合っているわよ」

「じゃあ、ソレイユたちのほうに行ったわけか」

「ええ、そうみたいね」

私とディルは淡々と会話で状況を整理して、私はいつも通りに椅子へ座る。こんな状況でも、当主としての仕事はやらなくてはならない。

テーブルの上で積み上げられた書類に目を通しながら、ディルと今後について話し合う。

「やっぱり何かしら対策はしておくべきじゃないか？」

「具体的には？」

「それを今から考えるんだろ」

「悠長ね」

私は昨日のシオリアの言葉を思い返す。

彼女はもう一度、当主の座を譲る気はないか質問するつもりだ。昨日から数えて二日後……つまりは明日、彼女たちは再び私の前に姿を見せる。

もちろん、私は同じ返答を口にするだけだ。

当主の座を譲る気はない、と。

「その後の反応次第ね。いっそ決闘でも申し込んできてくれないかしら」

「考えにくいな。昨日話しただろ？」

「ええ、だから単なる希望よ」

難しい謀略や策略に対抗するよりも、力のぶつかり合いのほうが私はやりやすい。異能の有無が当主となれる絶対の条件なんだ。

どちらも備わっているのなら、より優れているほうが当主になるべきだろう。ならば決闘して、どちらの力が強いか決めるほうが手っ取り早い。

「そうなったら戦えるのか？　ソレイユと」

「誰の心配をしているの？」

「……それもそうか」

ディルの心配は杞憂だ。

私は、相手が誰であろうと目的のためなら手加減はしない。たとえソレイユが相手でも……彼女自身が戦いを望んでいなくとも。

私の前に立ちはだかった瞬間、それはもう敵なのだ。

「なら明日、向こうがどう動くか次第か」

「ええ。今のうちに準備できそうなことだけしておきましょう」

「その前に溜まった仕事を終わらせてから、だがな」

「そうね……」

　本音を言えば、この当主としての業務だけでも代わってもらえるなら……ソレイユに任せても悪くないとは思っている。

　当主だからって好き放題できるわけじゃないってこと、ソレイユとシオリアは理解しているのかしら？

　約束の日がやってくる。と言っても、いつもと変わらない朝だ。

　目覚めた私は仕度を済ませ、いつものように執務室へと足を運ぶ。部屋にはすでにディルが待機していて、昨日と同じように業務を始める。

　書類に目を通し、受理するものには印を押し、右から左へ移動させる。

　そうしている間に正午になった。私は時計の針に視線を向けて、ディルに呟く。

「来ないわね」

「ああ、静かなもんだな」

私は記憶を思い返す。確かにシオリアは今日だと言っていたはずだ。まさか自分から指定しておいて、忘れているなんてことはないわよね？

もしくは事情が変わったのか。

正直、来てくれないと困る。この話に進展がなくて、私も次にどう動くべきか悩んでいるのだから。

「……とりあえず昼食にするか」

「そうね」

私が席を立とうとしたとき、扉の前に誰かが立つ気配を感じた。

トントントン――

ノックの音が響き、私とディルは視線を合わせ、再び椅子に座る。

「どうぞ」

私の許しを聞いて扉は開く。

案の定、扉を開けたのは彼女たちだった。

「こんにちは、セレネ」

「――遅かったわね。お義母様」

ニヤリと不気味な笑みを浮かべるシオリアと、その隣で縮こまっているソレイユが部屋の中に入ってくる。

忘れていたわけではなかったみたいで、私は心の中で安堵した。これで話を進められる。

「遅かった、なんて、私たちのことを待っていてくれたの？　嬉しいじゃない」

「勘違いしないで。忙しい時間に来られても迷惑だから、早く用事を済ませたかっただけよ」

「あら、そう？　なら先に確認しちゃおうかしら」

こほんと、シオリアは勿体ぶるように咳払いをする。

笑みを浮かべた表情で私のことを見つめ、数秒の間を空けてから口を開く。

「セレネ、ソレイユに当主の座を譲ってくれないかしら？」

「お断りよ」

考える暇も与えず、私は堂々と言い切った。

最初から何を言われようと、当主の座を譲る気なんてない。断る以外の選択肢なんて考えていなかった。

ただ、シオリアも動じてはいない。私がこう答えることは予想済みだったのだろう。

彼女は不敵な笑みを浮かべる。

「そう、あくまで拒否するのね」

「当然でしょ？　言ったはずよ。どれだけ時間を空けても私の意向は変わらないわ」

「……そうみたいね。なら、仕方がないわ」

「……」

私はシオリアの次のセリフに注目する。彼女が何を言ってくるのか次第で、私たちは今後の対策を考えなければいけない。

一番いいのは、このまま決闘でもいいから力で解決できることだけど……。

「セレネ、あなたに決闘を申し込むわ」

「――！」

私は驚き両目をパチッと見開く。

まさか、シオリアのほうからその提案をしてくれるなんて。嬉しい誤算に自然と笑みがこぼれそうになる。

緩む口元をぐっと堪(こら)えて、私は毅然(きぜん)とした態度でシオリアに尋ねる。

「決闘ですって？」

「ええ。当主の座をかけて、貴女たちには戦ってもらうわ」

彼女の発言に、私は眉を顰(ひそ)める。どうしていきなり、しかも正面から決闘を挑んでくるのか。彼女のことを完全に理解しているわけじゃないけど、なんだか……らしくない気がした。

「ふざけているの？　そんな要求を私が受け入れるわけがないじゃない」

「どうかしら？」

シオリアはニヤっと笑みを浮かべながら、徐(おもむろ)に窓のほうへと歩き出す。私は席に座ったまま、視線だけを動かしシオリアを追う。

「気づいているのでしょう？　屋敷の人間が減っていることに」

「ええ、誰かさんの甘言にそそのかされたみたいね」

「ふふっ、ひどい言い方ね。そんな風だから見捨てられるのよ」

「よく言うわ。甘言に惑わされたのは半数だけでしょう？」

「ええ……けど、同じじゃないわ」

「どういう――」

私の言葉を遮るように、シオリアは勢いよく窓を開けた。

ディルのために閉じていたカーテンも退けて、窓の外から光と風が入り込んでくる。ディルは咄嗟に光が当たらない場所へと下がる。

「何のつもり？」

「驚かせてしまってごめんなさい。けど、見てもらったほうが早いでしょう？」

「何を？」

「あら、まだ気づかないのかしら？　もっと近くで、屋敷の周りを見てごらんなさい」

彼女は窓の近くへと私を誘う。

表情はニヤついているけど、何か悪だくみをしているわけじゃなさそうだった。私は警戒しつつ、ゆっくりと窓のほうへ近づく。

そして、窓の外を観察する。

よく晴れて温かい空気が流れ込む。いつもと何が違うのか。疑問を口に出そうとした瞬間に、私は違和感に気づかされた。

当たり前の景色の中に、いるはずの人たちがいない。屋敷の周囲と中を警護している親衛隊の姿がどこにもなかった。

シオリアのほうに視線を向けると、彼女はニヤっと笑う。

「気づいたみたいね」

「……」

「そうよ。親衛隊は今、私たちの指揮下にあるわ」

ヴィクセント家当主に仕える親衛隊は、お父様から私の元へと移った。異能を持つ当主に付き従い、ヴィクセント家を守護する者たち。

五百人余りの構成人数を誇り、守護者の家系の中でも最も強大な軍事力を誇る。

迂闊だった。

屋敷の中ばかりに気を取られて、外がどうなっているのか見ていなかった。カーテンを閉め切った部屋からは、屋敷の外の様子は見られない。

ディルは当然、日の光がある場所では活動できないから、確認することもなかった。

シオリアの元に寝返ったのは半数ではなく……。

「わかったでしょう？　この提案は、貴女に対するせめてもの恩情よ」

私とソレイユの対立は、拮抗しているようで大きく傾いていた。太陽の異能があるならば、親衛隊の存在は脅威となり得る。

数の上での有利は完全になくなってしまったらしい。

「さぁ、提案を受けてくれるのかしら？」

「……ふっ、いいわよ。受けてあげるわ」

それでも私の有利に変わりはない。私とソレイユが決闘すれば、まず間違いなく私が勝つ。能力的な相性以前に、性格的な相性もある。

優しすぎるソレイユには、本気で私と戦うことなんて不可能だ。

この勝負は戦う前から決している。

「よかったわ。それじゃ、戦う人を先に紹介するわね」

「――？　どういうこと？　戦うのはソレイユと私でしょう？」

「あら、言ってなかったかしら？　貴女たちだけじゃないわよ」

この時、先に気づいたのはおそらくディルだったと思う。私が気づいたときには、部屋の扉が少し開いた後だった。

扉の前に誰かが待機している。

「入っていいわよ」

部屋の主たる私の言葉ではなく、シオリアの指示で扉が開く。入室した人影は二つ、その人物を前に、私は驚きを隠せない。

「決闘はソレイユを含めた三人が相手よ」

驚きと同時に、どうしてという疑問が頭の中を駆け抜ける。これはヴィクセント家の問題だ。他の貴族が関わるべきではない。

特に、同じ役割を担った六家の人間こそ……。

「紹介するわ。と言っても、どちらも顔見知りよね？」

「……ゴルドフ・ボーテン」

大地の守護者にして、地上最強の男と呼ばれている人物が立っていた。もう一人の男は、親衛隊の隊長を務めている男だ。名前は確か……。

「アイルズね」

「セレネ様、このような形で相対することになってしまい、まことに申し訳ありません。ですが私ども親衛隊は、太陽の守護者たるソレイユ様にお仕えすることにいたしました」

「そう、別に責めるつもりはないわ。貴方たちは本来、太陽の下で戦うために組織された部隊ですもの」

「はい。ご理解いただけて恐縮にございます」

深々とアイルズは頭を下げる。彼らの裏切りに関して思うところはある。だけど、それ以上の問題が隣に立っている。

「どういうつもりかしら？　ボーテン卿（きょう）……そちら側にいる理由を聞かせてもらえる？」

「すまないな、セレネ・ヴィクセント。俺がここにいるのは陛下のご意向だ」

ユークリスの名が出たことで、暗がりに隠れていたディルもわずかに反応したのがわかった。

彼がこの件に関わっている？

それは考えにくい。これまでならばともかく、今のユークリスは私たちの事情を理解している。

彼が私たちと敵対するような指示を出すだろうか？

とは言え、騎士団長であり大地の守護者である彼を動かせるのは国王のユークリス……いいや、そういうことね。

ユークリスはまだ幼く、王としての責務の一部は大臣や姉に任せていると聞く。ユークリスの意思という名目で、大臣たちが指示を出したのか。

「大臣に取り入ったのね」

「あら？　なんのことかしら？」

しらばっくれるシオリアだけど、彼女ならそういう根回しもできるでしょう。

王国の大臣たちにとっても、ヴィクセント家の当主はソレイユのほうが都合もいい。影の守護者は世間的にも公表し辛く、不気味がられている。

これまで通り、太陽の守護者が当主として立ったほうが、彼らにとっても好ましいはずだ。

そう考えると、ゴルドフが少し不憫に思える。立場上、王の命令と言われたら、彼に断る選択肢はないのだから。

視線が合い、わずかに申し訳なさそうな表情で目を瞑る。

彼を問い質すのはやめてあげましょう。

私は視線をシオリアに戻す。

「それで？　この三人と私が戦えばいいのかしら？」

「まさか。そんな鬼畜なことはさせないわ」

そう言ってシオリアは笑う。

世界最強の男を手ごまに用意しておいて、鬼畜じゃないなんてよく言えたわね。

私は呆れてため息をこぼすと、その直後にシオリアが説明する。

「お互いに三人、一人ずつ戦って多く勝利したほうが当主になる。そういうルールよ」

「そう。戦う順番は？」

「当日までのお楽しみ、としたいけど、特別に私たちの順番を教えてあげるわ」

シオリアは語りながら、紹介するように手を向ける。

「先鋒（せんぽう）は彼、親衛隊のアイルズよ」

「よろしくお願いいたします」

アイルズは深々と頭を下げる。続けて手を向けられたのは、その隣に立っているゴルドフだった。

「続いては彼よ」

ゴルドフは軽く目を瞑り、素っ気ない態度を取る。不本意ながらこの場にいると、私に告げているように。

そして最後は聞くまでもなく。

「最後はソレイユよ」

「……」

不安げな表情を見せるソレイユが、私と視線を合わせる。彼女こそ、ゴルドフよりも不本意なのかもしれない。

私と合わせた視線が、私に助けを求めているように見えたから。

「決闘の日は一週間後よ。それまでに、そっちも人数を揃（そろ）えておいてね？　せめて二人いないと、勝負をする前に決着がついてしまうわ。もしよかったら、親衛隊から一人貸してあげましょうか？」

「結構よ」

「そう。だったら期待しているわ。せめていい戦いをしましょうね。セレネ」

「ええ、お互いに」

私とシオリアは視線をぶつけ合う。私は睨み、シオリアは変わらず笑みを浮かべている。

かくして、当主の座をかけた決闘が受理された。

太陽と影、相反する二つの異能がぶつかり合うのか。それとも……。

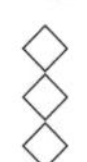

ソレイユたちが出て行き、執務室は静かになる。どうやら彼女たちは予想通り、シオリアが生活している別宅に戻ったらしい。

二人きりになり、カーテンを閉めてからディルが呟く。

「どうするんだ？」

「戦うに決まっているでしょ？　今さら何？」

「違う。そうじゃなくて人員だ。戦えるのは俺とお前の二人だけだぞ」

「そうね。どうしようかしら」

表情や態度には出さないようにしているけど、内心では少し焦っていた。

決闘のための三人目が用意できるかわからないことより問題なのは、中堅にゴルドフがどっしり構えられているということだ。

貴族間での決闘には、古くから不変のルールが存在する。人数を揃えた決闘の場合、もしも欠員や不足が出たら、前か後ろ、どちらかに詰める。

例えば今回の場合、私たちが二人しか揃えられなかったとしよう。

そうなったら先鋒と中堅のみ戦うか、先方を不戦敗として中堅と大将のみ戦うことになる。要するに、真ん中を空けることができない。

つまり、あえて中堅であるゴルドフを避けて戦うことができないわけだ。

「やっぱり俺がゴルドフと戦うしかないか」

「ダメよ。戦うなら私しかいないわ」

「お前じゃ勝てないぞ」

「ハッキリ言ってくれるわね」

「言うさ。俺は身をもって経験している。あいつの実力は間違いなく世界最強だ。同じ守護者でも、戦闘力という面では抜きん出ている。お前を含めてもだ」

「……」

そんなこと、言われなくても理解している。

ゴルドフとディルの戦いは、私も間近で見ていたのだから。どちらも人間の領域を遥かに超えていた。あの時だって、ディルが全力で戦ってようやく倒せたんだ。

私がいくら本気を出しても、ゴルドフには勝てない。能力的な相性もだけど、身体能力の差が開きすぎている。

それでも……。

「貴方が戦うわけにはいかないでしょ？」

「それは……そうだが……」

ディルは不満げに俯く。

決闘には私たち以外の眼もある。ディルは決闘に参加しても全力を出すことはできない。ただ、人数不足だから参加はしてもらうことになる。

「貴方が戦うのは先鋒よ」

「親衛隊の隊長だったか。ま、異能者が相手じゃなければ問題ないか」

「そうでもないわよ。あっちにはソレイユが、太陽の守護者がいるもの」

太陽の守護者には、他者を自らの力で強化する力がある。太陽の加護と呼ばれるその力は、ただの人間の力を何十倍にも増幅させる。

「異能なしで魔獣を相手にするようなものよ」

「それは……きついな。というより不正じゃないのか？」

「特にダメとも言っていないし、不正とは呼べないわ。だから、こっちも同じことをするのよ」

「――ああ、そういうことか」

ディルも思い当たった様子だ。

まだ記憶に新しい。守護者たち総出で、巨大な魔獣と戦った時のことを。

あの戦いにはディルも参戦し、彼は力を隠して戦うために、私の影で身体を覆った。影の異能には他者を強化する力がある、という嘘を実現させるために。

実際はただ影を纏っているだけで、ディルは自らの力で戦っていただけ。もちろん、本来の力より大幅に抑えた戦い方をしていた。

「あの時と同じようにすればいいわ」

「了解した。それならまぁ、負けはしないだろう」

「そうあってくれないと困るわ」

「で、俺はそれでいいとして……問題はお前のほうだろう？」

「そうね」

ディルはいつになく心配そうな表情で私を見つめる。

「相手はゴルドフだ。何か作戦でも用意していないと勝てないぞ」

「わかっているわ」

正攻法で戦っても勝ち目はない。ハッキリ言って絶望的な状況だけど、全力が出せないディルに戦わせるよりは可能性がある。

とても小さくてか細い可能性だけど……。

「お前が戦うより、三人目を見つけるほうが確実なんじゃないのか？」

「それもそうね」

三人目さえ見つかれば、二戦目のゴルドフを捨てることだってできる。ディルが勝ち、最後に私がソレイユと戦えば……勝てる。

問題は誰が私たちの味方をしてくれるか。

相手は大地の守護者、世界最強のゴルドフだ。彼と戦いたいなんて物好きがいるとは思えない。

「ロレンスならどうだ？　あいつなら事情もある程度は知ってるだろ」

「そうね。影は通じているし、捕まえて無理やり参加させるのもありだわ」

影の移動先は、一度でも使ったことのある影を記憶している。以前にロレンスの影を移動したから、彼がどこにいても私はすぐに見つけ出せる。

確実に嫌がるとは思うけど、力ずくでも言うことを聞かせましょう。

相手だって守護者の一人を味方につけているのだし、こっちが他の守護者を味方にしても文句は言われないでしょ。

「さっそく捕まえて――」

トントントン――

タイミング悪く扉をノックする音が響く。出鼻をくじかれた気分になりつつ、扉の前の誰かに声をかける。

「何かしら？」

「失礼します、セレネ様。お客様がお見えになられておりまして」

「客人？　そんな予定はなかったはずよ」

「そうなのですが、お客様というのはその……」

扉越しで歯切れの悪い返事をする使用人に、ちょっぴり苛立った私はきつめに問いかける。

「誰なの？」

「はい。お客様のお名前は――」

「いつまでやっている！　いい加減待つのは飽きたぞ！」

「あ、お待ちください！　ワーテル卿！」

強引に扉が開き、その男は優雅に舞うように姿を現した。

憎たらしい笑顔を見せ、気取った態度は相変わらずで、ハッキリ言ってあまり好きではない。

水の守護者、アレクセイ・ワーテル。以前私に、言い寄ってきた変わり者だ。

「久しぶりだね。俺のフィアンセ！」

「……いつから貴方の婚約者になったのかしら？」

「最初からさ！　俺はずっとそう思っているよ」

「ふっ、よく言えるわね。私に完敗したくせに」

「覚えているさ。だがこうも言ったはずだよ？　俺は一度くらいの敗北で君を諦めたりはしない。俺のフィアンセに、君ほど相応しい女性はいないんだ」

彼は芝居がかったセリフを堂々と口にして、私に向かってウィンクをする。一連のやり取りに苛立って、私は小さくため息をこぼす。

「一体何をしに来たのかしら？　私は忙しいのよ」

「知っているさ。今は特に……妹との決闘で頭がいっぱいなんだろう？」

「――！」

私は小さく驚き、訝しむような視線を彼に向ける。

「なぜ知っているのか、と言いたげな顔だね」

「……貴方は」

「その前に確認だ！　君のほうは人員を集められたのかな？」

「人数のことも知っているのね」

私はため息をこぼし、正直に教える。

「一人足りていないわ。その一人を今から探しに行くところなのよ。わかったら邪魔しないでもらえる？」

「――ふっ、その必要はない。なぜならすでに、揃っているのだからね！」

「何を言っているの？」

「いるじゃないか！　目の前に頼れる三人目が」

そう言いながら、彼は自分の胸に親指を突き立てる。

頼れる三人目、それは自分だとあからさまに宣言していた。

「……本気？」

「もちろん！　そのためにここへ来たんだ」

私は驚き、理解が追い付いていなかった。

アレクセイが私たちに協力してくれる？

一体……。

「何のために？」

「決まってるさ。君のためだよ、セレネ・ヴィクセント」

「……意味がわからないわ」

彼が私たちの味方をする理由が説明されていない。私たちは仲のいい友人でも、協力関係にある相手でもない。

これはヴィクセント家の問題だ。部外者であるアレクセイが関わる理由が見当たらない。すると彼は説明を始める。

「実をいうと、勧誘があったんだよ」

「勧誘？」

「ああ！　君の母親、シオリア・ヴィクセントさ」

「――！　そう、貴方にも声をかけたのね」

ゴルドフは大臣たちを味方につけ、国王の命令という形で動かした。それとは別に、アレクセイも自分たちの陣営に取り込もうとしていたわけね。

けど、アレクセイは決闘の人員には参加していなかった。

つまり……。

「断ったさ。君と敵対する気は更々ない！　何より、君から当主の座を奪うだって？　そんなことに俺が協力するはずがないんだ」

「……そう、一応感謝しておくわ」

ゴルドフだけじゃなく、アレクセイまで敵になっていたら……間違いなく勝機はなかったわね。

「感謝するのは早い。言っただろう？　俺は君の味方をするために来たんだ」

「聞いたわ。けど、本気で言っているの？　私の味方をしたところで何の得もないわよ」

自分で言っていて空しさすら感じるが、事実だ。

私の味方をしたところで、アレクセイに得なんてない。少なくとも、私が思いつく限りでは。

「得ならあるさ。君の記憶に残るだろう？　窮地に駆け付けた男として！」

「……恩を売るつもり？」

「そんな男に見えるかい？　俺はただ、君と共に戦いたいだけだよ」

「……」

私は彼の瞳をじっと見つめる。その瞳から嘘は感じられない。味方をしたいというのも、おそらくは本心なのだろう。

私は視線を逸らし、ディルと目を合わせる。

彼は小さく頷いた。考えていることは同じだと確認してから、アレクセイと向き合う。

「いいのね？　貴方の相手は、ゴルドフになるわよ」

「望むところさ！　彼とは一度、本気で戦ってみたいと思っていたんだ。世界最強なんて呼ばれているんだろう？　その称号、俺が貰ってやろう」

「そう、覚悟しているなら止めないわ」

元よりゴルドフ相手に勝利は期待していない。彼と自ら戦ってくれるのであれば、たとえ負けてしまっても問題ない。

「じゃあ、ゴルドフ・ボーテンの相手は貴方に任せるわ」

「任されたよ！　見事に勝利してみせようじゃないか！」

「ふっ、あまり期待せずに見ているわ。思い切り戦ってちょうだい。骨は拾ってあげる」

「縁起でもないな」

ぼそりと、斜め後ろに立つディルが呟いた。

これで勝機は見えてきた。先鋒のディルが勝利すれば、アレクセイが負けようとも、私がソレイユに勝てばいいだけだ。

ゴルドフを相手にするよりずっといい。

何より、他の誰かに……彼女の相手を任せるよりもずっとマシだ。

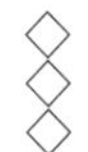

シオリアとソレイユは別宅に帰宅した。
本宅よりも一回り小さな屋敷には、本宅で働いていた使用人たちの姿がある。親衛隊の隊員たちも、屋敷の周囲を警護している。
「ソレイユ、疲れたでしょう？　部屋に戻ってゆっくり休みなさい」

「お母さまはどうされるのですか？」

「私はまだお仕事があるのよ。貴女は気にせず休みなさい。食事の時間になったらまた会いましょうね」

「……はい」

二人は食事や外出の時以外、ほとんど会話をしない。同じ屋敷の中で暮らしているのに、親子らしい光景は見られない。

とぼとぼと一人、自室へと歩いていくソレイユを見送り、シオリアも自分の部屋へと向かおうとした時、彼に呼び止められる。

「シオリア」

「あら？　珍しいですわね。貴方のほうから会いに来てくれるなんて」

シオリアを呼び止めたのは、彼女の夫であり前当主ラルド・ヴィクセントだった。彼は眉間にしわを寄せ、表情からは怒りが漏れ出ている。

対するシオリアは変わらず、ニコニコと笑みを浮かべたまま応対する。

「どうかなさいましたか？」

「それはこっちのセリフだ。どういうことか説明してもらおうか？」

「何のことでしょう？」

「惚けるな！」

ラルドは怒りのままに叫ぶ。付近にいた使用人たちはラルドの声に怯え、縮こまってしまう。しかしシオリアは全く動じていない。表情も変わらない。

ラルドは怒りで声を震わせて続ける。

「当主の座をかけてセレネと決闘だと？　そんな話は聞いていないぞ！」

「それは当然でしょう。貴方には話していませんから」

「なんだと……この私に何の許可もなく決闘など……何を考えている！」

「貴方こそ、どの立場からそんなことを言っているのかしら？」

「なっ……」

シオリアは笑顔のまま、冷たく言い放つ。

「ラルド、貴方はもう当主じゃないのよ。この家で決定権を持つのは、異能を所持する当主だけ……今はソレイユと、一応セレネがそうね」

「ソレイユ……ソレイユもここにいるだろう？　呼んできてくれ」

「どうして？」

「問い質すんだ！　異能に目覚めていることをなぜ私に教えなかったのか！」

ラルドはソレイユが太陽の異能に目覚めている事実を知らなかった。それを知ったのは、セレネとの決闘を決めた前日である。

彼は二人が対立するまで、何も知らなかったのだ。彼が怒っているのは、自身に異能のことを教えなかったソレイユに対して……そして、何の相談もなく事を進めた妻に対して。

「問い質す？」

「そうだ！」

「何の権利があってそんなことをするのかしら？」

「なんの……だと……」

「ないはずよ。貴方はもう当主じゃない。当主の資格を持っているのはソレイユなの。あの子を責めることが貴方にできるわけないでしょう？」

シオリアはラルドを馬鹿にするような笑みを浮かべる。

その笑みは不気味で、それ以上にラルドの怒りをふつふつと膨れ上がらせる。拳を震わせながら握り締め、怒りのままにラルドは叫ぶ。

「お前は――！」

「何かしら？」

「……」

何かを叫ぼうとして、ラルドは口を噤む。

ここまで怒りを露わにしたラルドを前にしても、シオリアは一切表情を崩さない。まるで紙に描かれた似顔絵のように、表情の時間だけが止まっている。

それが不気味で、気持ち悪いとラルドは感じてしまった。

「何もないなら行くわ。やることがたくさんあるの」

「……」

「安心して。この家のことは私がなんとかしてあげるわ。貴方の代わりに」

そう言い残し、ラルドの隣を通り過ぎる。

この時、ラルドは背筋が凍るような感覚に襲われる。彼女がすぐ隣を横切った時、不気味な気配を感じたのだ。

それは人のものではなく、むしろ……。

「待て」

ラルドは呼び止める。その異様な感覚を、確かめるために。

「何？」

立ち止まり、振り返った妻に向けて、ラルドは尋ねる。

睨むように、訝しむように、率直すぎる疑問を口にした。

「……お前は、誰だ？」

シオリアは笑顔のまま答える。

「誰って、私はシオリアよ？」

「……本当に、そうか？」

ラルドの脳内では疑問が湧き上がる。

違和感はずっと前からあったのだ。彼女……セレネの出生の秘密が露見したあたりから、シオリアの様子がおかしくなった。

ラルドの記憶の中にいるシオリアは、いつも穏やかで落ち着いていて、陽だまりに咲く花のような笑顔を見せる人だった。

こんな風に、不気味な笑顔だけを張り付けた人形のような女性ではなかった。彼女はもっと感情豊かだった。

ラルドが愛人との間につくったセレネのことを知った時も、ひどく怒り泣いてラルドのことを責めた。浮気されたのだから当然だろう。

それでも、生まれてくる子供に罪はないからと、セレネに対しては本当の母親のように接していた。

だが、セレネの出生が周囲に露見して、ラルドが態度を豹変させた後、突然彼女は本宅を飛び出し、別宅で暮らすようになった。

ラルドやソレイユともあまり話さず、一日中部屋の中に閉じこもって過ごす日々が続いた。そんな日が続いて、一年が経過したある日、彼女はケロっとした顔で別宅から出てきた。

ラルドは当初、立ち直ってくれたのだと安堵した。しかし、何をするにもニコニコ笑い、怒ることも悲しむこともなくなったシオリアを見て、彼は落胆した。

妻の心は壊れてしまったのだと。と同時に、こうも思っていた。彼女は本当に、自分が知るシオリアなのか……と。

その疑問が今、この瞬間に膨れ上がる。

「私はお前をよく知っている。誰よりも近くで見てきた。だからこそ、今のお前には違和感しかない……まるで別人のよう見える」

「……それは当然でしょう？　こうして話す機会も減ってしまいましたから」

「そういう次元の話ではない。性格が多少変わった程度なら、私もこんなことを言わない。今のお前から感じる雰囲気は、まるで魔――」

直後、ラルドは寒気を感じる。

先ほど、通り過ぎた際に感じたものとは別格の……命の危険すら感じる寒気を。

理由は明白だった。ずっとニコニコ笑みを浮かべていたシオリアが、初めて睨むようにラルドを見ている。

「お前は……」

「私はシオリア、貴方の妻よ」

「……」

違う、とラルドの心が叫んでいる。

もはや疑いではなく、彼の中で確信へと変わりつつあった。自身の妻、シオリア・ヴィクセントは何かに変わってしまっている。

それが何なのかわからない。わからないが……危険だと直感していた。

「貴方は何も心配しなくていい。これは貴方のためでもあるのよ」

「私の……ためだと？」

「ええ、私の愛する夫から大切なものを奪った女……憎いでしょう？　腹が立つでしょう？　殺してしまいたいと思わない？」

「――！」

寒気は明確に、殺気へと変わっていた。

人間が放つ領域の殺気ではなく、周囲の使用人たちも怯えて声すら出せず、その場から動くことすらできずにいた。

「私が全部叶えてあげるわ。何もかも失ってしまった貴方の代わりに……憎い女のことなんて、忘れさせてあげる」

「シオリア……」

彼女の瞳からは、あふれんばかりの憎しみが感じられる。

ラルドは気づく。憎しみの矛先は自分とセレネだけに向けられているわけではなく、今は亡きもう一人の……彼女に対しての怒りも含まれていることに。

同時に理解する。

目の前にいる彼女は、確かに妻のシオリアだと。しかし、同一人物ではなく、何かが混ざっている……否、取り憑かれているのではないかと。


彼らは知らない。

異能が生まれた理由を……そして、魔獣が何から生まれたのかを。

第三章
憎しみの獣

国王しか入ることのできない地下の部屋。

多忙な国王が唯一、確実に一人になれる場所でもあり、秘密のお話をするにはピッタリな空間でもあった。

ユークリス・ヴェルト。幼い国王が私とディルの前で、頭を下げている。

「すみませんでした。兄さん、セレネさん」

「頭をあげてくれ、ユークリス」

「でも、ボクのせいでお二人にご迷惑をかけてしまいました」

「お前のせいじゃないだろ？」

「いえ、ボクのせいです。ボクがもっとしっかりしていれば……」

彼が私たちに謝罪している理由は、シオリアにゴルドフが味方した一件に関してだ。ゴルドフは国王からの命令に従い、シオリア陣営に加わっている。

もっとも、私たちが予想した通り、ユークリスは……。

「お前が指示したわけじゃないってことくらい、俺たちはわかってるから」

「……」

ユークリスは口を噤む。

彼がゴルドフを唆けたわけではなく、彼の代わりに政治的決定を下す大臣たちが、国王の名を使って命令したことに過ぎない。

彼自身がこのことを知ったのは、ヴィクセント家内の対立が噂になった後だった。

「それでも、ボクに力がなかったせいです。ボクがまだ子供だから……」

「それは……」

「仕方がないことでしょ？　年齢なんて好きに重ねることはできないんだから」

「セレネさん……」

落ち込むユークリスを見て、少し苛立った私は口を出してしまった。本当は何も言うつもりはなかったのだけど。

「貴方に責任がないわけじゃないわ。けど、決定したのは貴方自身じゃない。だったらもっと怒るべきでしょう？　勝手なことをしないでって」

「……そうですね。怒れれば……よかったですね」

ユークリスは申し訳なさそうに視線を地面へと向ける。

そういえば、彼が怒っているところを見たことがない。出会ってから短いし当然だろうか。というより、怒っている彼を想像できない。

もしかすると彼は、怒りたくても怒れない、のかもしれない。

つくづく、国王というのは面倒な立場だわ。十二歳の子供が、立つべき場所じゃない。

「なぁユークリス、お前から言って、今からゴルドフへの命令を覆すことはできないのか?」

「すみません。難しいと思います」

「どうして? 国王の決定なら、国王が覆すことだって可能でしょう?」

私とディルの質問に、ユークリスは悩みながら返答する。

「本来は、そうです。でもボクはまだ子供なので、国政に関して口出しができないんです」

「本当にお飾りの王様なのね」

「はい。そうなんです」

彼は情けなく、辛そうな笑みを浮かべた。

きっと私が知らないところで、様々な苦労をしているのでしょう。十二歳の小さな子供の背中に国民は期待する。だけど、彼自身は何も決めることができない。

決めたくても、周囲が許してくれない。なんて不自由……。

「じゃあ、国政に口出しをできるのは大臣たちだけなの?」

「いえ、主に指示を出しているのは姉さんです」

「姉……ああ、パーティーの時、貴方の隣に立っていた人ね」

「はい。普段は姉さんがボクの代わりに、国王としての仕事をしてくれているんです」

ユークリスの姉、ギネヴィア・ヴェルト。

政治に興味のない私でも、名前くらいは知っている人物だ。年齢は確か、私と同じか一つ上くらいだったはず。

つまり、ユークリスにとっては姉であり、ディルにとっては妹ということになる。

「今さらだけど、どんな人なの？」

「そうですね。姉さんはとてもまじめな人で、すごく頭がいいです」

「そう、どこかのお兄さんとは正反対みたいね」

「誰のことだろうなぁ」

ディルは隣でわざとらしく、わからないふりをしながら目を逸らす。ふと気づく。ディルはユークリスの話はするけど、妹であるギネヴィアの話はしない。

一度も、彼の口から話を聞いていない。だから私も、二人の間にもう一人、王族の女性がいることを忘れていたくらいだ。

気になった私は、何気なくディルに尋ねる。

「貴方、妹と仲が悪いの？」

「直球だな」

「違うの？」

「違う……別に仲が悪かったわけじゃない」

よかったわけでもない、と続きそうな言い回しをディルはする。

彼は小さくため息をこぼし、何かを確かめるようにユークリスに一度だけ視線を向けてから、私のほうへ顔を向ける。

「あいつとは昔から、馬が合わなかったんだ」

「やっぱり仲が悪かったのね」

「だから違うって。そう単純な話じゃないんだ。なんというかあいつは……いろいろと合理的なんだよ」

「合理的、ねぇ」

ディル曰く、ギネヴィア・ヴェルトは王としての素質を二人以上に有している人物だという。気品あふれ、計算高く、知略に富んで、多くの支持者を従える。まさに、上に立つために生まれてきたような存在だと……。

しかし、彼女には唯一足りないものがあった。

それが異能だ。この国の王になるための絶対条件は、王の異能を開花させていること。他の全てが揃っていても、異能がなければ王の器とは呼べない。

現代において、王に相応しいのは結局……ここにいるユークリスだった。

「だから、仲が悪くなったの？」

「違うさ。そもそも俺たちが異能に目覚めた時点で、あいつは俺のことを忘れているんだ」

「そうだったわね」

「ああ。合わなかったのは性格的に最初から……けど、合わなかったというだけで、嫌いだったわけじゃない。少なくとも俺のほうはな」

向こうはどう思っていたか知らないし、今となっては知る方法もない。と、ディルは少しだけ寂しそうに続けた。

彼は彼で、妹であるギネヴィアのことを考えていたのだろう。口に出さなかったのは、彼女なら心配する必要がないから、だろうか。

「じゃあ、今回の決定にギネヴィアが関わっているということね」

「十中八九そうだろうな」

「間違いないです。ボクから姉さんに確認して、自分が指示を出したと言っていましたから」

「直接聞いたのね」

「はい……どうしてそんなことをしたのか尋ねました。そしたら姉さん、顔色一つ変えずにこう言ったんです」

ヴィクセント家の当主は太陽の守護者のほうが相応しい。私たち王族にとっても、そちらのほうが都合がいいわ。

「都合がいい……ねぇ」

「はい」

「そう、確かに合理的かもしれないわね」

太陽の異能には他者を強化する力がある。対して影の異能は、不吉の象徴されて知る者からは忌み嫌われている。

二人が対立した場合、どちらに味方をしたほうが今後の自分たちに有益か否か……。

私が彼女の立場でも、同じような選択をしただろう。容易に軍隊を作ることができ、他の貴族からも支持されるであろう太陽の守護者のほうが、国にとっても有用だ。

そう考えると、別に責めるような行いじゃない。彼女はあくまでも、国の未来のために合理的な判断を下しただけに過ぎないのだから。

「ギネヴィア・ヴェルト……」

王としての素質を持ちながら、異能の有無によってその資格を得られなかった王女。幼すぎるユークリスに代わって、国政を束ねる実質的な支配者。

ディルとはそりが合わない妹……少しだけ興味が湧いてくる。会って話をしてみたい気持ちはあるけど、それは今じゃない。

いずれ必ず、私たちは話す機会に恵まれるはずだ。その時を楽しみにしておこう。

「ゴルドフの件はもういいわ。覆らないなら正面からぶつかるしかないもの」

「ぶつかるのは俺たちじゃないけどな」

「ええ、それが不幸中の幸いだわ」

「本当によかったですね。協力者が名乗り出てくれて」

ユークリスの言葉に、私とディルは深く同意して頷(うなず)いた。

決闘の二人目、最強の守護者ゴルドフ・ボーテンの相手に、命知らずにも名乗りを挙げてくれた人物に、私は珍しく素直な感謝をしている。

水の守護者アレクセイ・ワーテル。性格的には合わないし、あまり好きではない男だけど、私たちのために戦ってくれることに感謝している。

もっとも、未(いま)だに私のことをフィアンセと呼ぶところは、いい加減改善してほしいが。

私は小さくため息をこぼす。

「これで勝機が生まれたわ。というより、勝利がほとんど確定したわね」

決闘は三対三の対抗戦。一人ずつ戦い、最終的に勝利数の多い陣営の勝ちとなるシンプルな形式だ。

ゴルドフとの戦いは最初から捨てるとして、ディルと私が勝利すればいいだけの話。

「わかっているって思うけど、貴方が負けたら全部終わりよ？　ディル」

「わかってるって。変にプレッシャーをかけないでくれ」

「負けるはずないわよね？」

「プレッシャー……」

ディルの相手は親衛隊の隊長だ。当日は太陽の加護を得て強化されていること。ディルが全力で戦えないことを考慮しても、彼が負けるとは考えられない。

ディルは以前、世界最強と言われているゴルドフにも勝利している。どんなルール上であろうとも、彼が負けることはない。

私はそう、確信している。

「頑張ってください。兄さん」

「ああ、頑張るよ。負けられないからな」

「そうよ。負けられないわ」

ディルが負けた時点で、私たちの敗北が決まってしまうようなものだ。決闘に敗れれば、私は当主としての地位を失う。

当主の座そのものに思い入れはないし、固執するつもりはないのだけど、今の立場が私たちの目的を達成するために、一番都合がいい。

他の守護者たちと対等に接し、適度に自由に行動できるこの場所を失うわけにはいかない。

「勝つわよ。必ず」

「ああ。お前のほうこそ大丈夫なのか？　相手は……」

「誰の心配をしているのかしら？」

相手は私の妹、ソレイユだ。彼女が本気で、私との戦いを望んでいるとは思えない。シオリアに利用されているだけだと思う。

それでも、理由なんて関係ない。

「私の前に立ち塞がるなら、誰であろうと容赦しないわ」

たとえそれが、妹であってもだ。

指定された期間はあっという間に経過した。
早々に三人目の仲間を見つけた私たちも、焦ることなく準備に勤しみ、ついに決戦の日がやってくる。
場所は勝負を受けた私たち側に設定する権利があり、選んだのは王国が所有するコロシアムと呼ばれる闘技場だ。

天井は閉じられて日の光は入ってこない。

広さも十分で、壁や地面も強固に作られている。この中であれば、異能者が本気で戦っても周囲に迷惑は掛からない。

「悪くない場所ね」

「そう。気に入ってもらえてよかったわ」

コロシアムに到着した私は、シオリアと向かい合ってルールを改めて確認する。

「三対三の決闘。戦う順番に変わりはないわね?」

「ええ、もちろんよ」

「ならよかったわ。こっちも戦う順番を教えましょう。一人目は彼よ」

使用人の服に身を纏(まと)い、腰にサーベルを携えたディルが一歩前へと出る。彼は使用人らしく丁寧に、畏(かしこ)まるようにお辞儀をする。

「私の補佐役、ディルよ」

「セレネにとっての親衛隊みたいなものかしらね」

「そう思ってくれて構わないわ」

「ふふっ、悪くない相手ね」

シオリアは笑いながら、ディルの斜め後ろに立っている人物に注目する。

「驚いたわ。てっきり三人目は見つけられなくて、貴女が戦うことになると思っていたのに」

「予想通りにならなくて残念だったわね。戦うのは私じゃないわ」

「その通り！　次戦はこの俺、アレクセイ・ワーテルが請け負った！」

堂々と優雅に、ディルの横をするりと抜けてアレクセイが自分の存在をアピールする。ニヤリと浮かべた笑みで、シオリアと向かい合う。

「こうして直接話すのは初めてですね。シオリア・ヴィクセント」

「ええ、お会いできて光栄だわ。ワーテル卿」

「ああ、こちらも光栄だ。できれば、もう少し違う形でお会いしたかったがな」

「そうですわね。お互い、このような形でお会いするのは不本意だったでしょう」

「不本意……か」

アレクセイは不敵に笑う。

「とてもそう思っているようには見えないがな」

「あら、そうですか？」

「ああ……その瞳からは野心が感じ取れる。俺が誘いを断ったことを根に持っているのかな？」

「そんなことございませんわ。ただ……セレネの味方につくという選択は、間違いだったと後悔してしまわないか、心配なだけです」

「ははっ！　それはありえない！　俺の選択は常に正しい！　未来のフィアンセに格好いいところを見せるチャンスだ！　そういう意味では、貴女には感謝しているよ」

アレクセイとシオリアの、両者一歩も譲らない言葉での攻防が続く。この二人は性格的にも相性がよくない。

アレクセイが誘いを断ったのは、単に彼女のことが苦手だからじゃないだろうか。

まぁ、それは些細なことだ。

「期待しているわ」

ゴルドフの相手をしてくれることに。

「ああ、任せてくれ。華麗に勝利を収めてみせよう！　なぁ、ボーテン卿」

「お手柔らかに頼もう。アレクセイ殿」

ゴルドフは変わらず毅然とした態度で振る舞っている。ただ少しだけ、安心しているようにも見えたのは気のせいだろうか。

二人目までの顔合わせが終わり、シオリアが私に視線を戻す。

「そして最後は、貴女が戦うのね」

「ええ。そちらはソレイユでいいのね？」

「もちろんよ」

「……」

ソレイユがゆっくりと、シオリアの背後から顔を出す。相変わらず暗い表情で、どこか怯えているようにも見えた。

「ソレイユ、覚悟はできているのね？」

「……はい」

嘘ばっかりだわ。

本当は戦いたくない。争いたくないって顔に書いてあるみたいよ……。

私は心の中でため息をこぼす。こちら側の人員が揃った時点で、この決闘はもはや茶番でしかない。

一戦目、ディルと親衛隊長との勝敗がわかれば、シオリアも理解するかもしれないわね。この戦いに意味はないことを。

そうすれば……もしかすると、私たちが戦わずに済む未来があるかもしれない。なんて甘いことを考えて失笑する。

相手が誰であろうと容赦しない。そう口では言いながら、ソレイユのことを気にしている自分が、どうしようもなくおかしくて。

私は大きく長く深呼吸をして、シオリアに提案する。

「さぁ、そろそろ始めましょうか」

「そうね。じゃあ……始めましょう」

太陽の守護者と影の守護者。同じ家に生まれてしまった二つの異能。

こうして私たちは、当主の座をかけて戦うことになった。

「頼んだわよ、アイルズ」

「はい。お任せください。シオリア様、ソレイユ様」

初戦の相手は、お互いの懐刀と呼ぶべき存在。ソレイユ陣営の先鋒は、親衛隊の隊長を務めるアイルズ。

元王国騎士団の部隊長を務めた彼は、私の父で前当主だったラルドにその実力を買われ、親衛隊としてスカウトされた。

剣士としての実力は言わずもがな。親衛隊として二十年余り、ラルドの元で戦ってきた。戦闘経験はおそらく、私やディルを大きく上回っている。

守護者を除けば、彼と戦える人間なんて数えるほどしかいないだろう。シオリアも、彼が負けるとは思っていない。

だけどそれは……。

「何度も言うけど、負けちゃダメよ？」

「ああ、任せてくれ」

彼が負けるはずないと、そう思っているのはこちらも同じだ。

正直、アイルズが気の毒にすら思える。並の騎士たちが相手なら、太陽の加護がなくても余裕で勝利を収められるだろう。けれども今回は相手が悪い。

アイルズが相手にする彼は、世界最強すら突破した男なのだから。

「両者前へ！」

決闘のために用意した立会人が、二人の間に立つ。格好からして彼も騎士団の一員なのだろう。

ボーテン卿が手配した人員なら多少信用はできる。

もっとも、立会人なんて形だけで、勝敗は誰かが決めることではなく、当事者たちの間で決まることだけど。

「制限時間は無制限！　どちらかが降伏、もしくは戦闘不能になるまで続行する！　武器、能力の使用も自由である！　相違ないか？」

「ああ」

「構いません」

「――では、始め！」

合図と同時に、立会人は大きく下がる。二人の戦いに巻き込まれないように。

が、二人とも開始直後には動かなかった。互いの腰の剣に触れ、抜く直前で睨(にら)み合っている。

「――なぜ、抜かないのですか？」

「こっちのセリフだ」

「……どうやら、狙いは同じだった様子で」

「みたいだな」

ディルとアイルズは、相手が攻め込んで来たところをカウンターで仕留める算段だった。しかし狙いが同じだったため、どちらも動くことはなかった。

アイルズが先に剣を抜く。

「どうやら、相当な手練(てだれ)なご様子」

遅れてディルが抜く。

「それなりに訓練はしてきたさ。騎士団の人間が相手でも、剣で遅れはとらないようにな」

「そうですか。ならば――」

アイルズの空気が変わる。

「遠慮は不要ですね」

「そうしてくれ」

アイルズが猛烈な速度で前進し、ディルに斬りかかる。ディルはそれを見切り、同じタイミングと力で受け止めた。

鍔迫り合いになり、お互いに押し合う。

「この力……もしや貴方もですか？」

「ああ、借りているよ。彼女の異能をな！」

鍔迫り合いから剣を弾き、お互いに距離を取る。今の一瞬の攻防で、彼らは理解した。ディルが、アイルズが、自らの力だけで戦っているわけではないことに。

アイルズはソレイユから太陽の加護を受けている。全身からあふれ出る熱気と淡い光こそ、太陽の加護を受けている証明。

対するディルの身体からは、漆黒のモヤが漂っている。それは影の異能の残滓。彼の身体は今、異能の力で覆われている。

「卑怯とは言わないでくれよ」

「もちろんです。私にそれを卑怯と言う資格はありません。むしろ、安心いたしました」

「安心？」

「はい。これならば……対等な条件での決闘が成り立つ」

アイルズは剣を構える。

それに合わせるように、ディルも切っ先をアイルズに向けた。

「あんた、騎士なんだな」

「はい。今でもそのつもりです」

二人は激しく剣戟を交わす。

その様子を私の隣で見ていたアレクセイが、感心した表情で言う。

「彼、中々やるじゃないか。いい動きだ」

「そうね」

実際はもっと速くて強いのだけど、私の異能が追い付ける範囲で戦っているから、この程度しか力を発揮できないわね。

影の異能に、太陽のような加護を与える力なんてない。ディルには影を纏わせているだけで、強化なんてしていない。

ただ私の影が強化しているように見せて、ディルが力を制限して戦っているだけだ。ディル以上に私も集中しないといけないわね。

魔獣との戦いで起こったみたいに、ディルの速度に影が置いていかれたら大変だわ。

「あら、影の異能にもそんな使い方があったのね。知らなかったわ」

「不勉強だったわね」

「ええ、そうね」

シオリアは不敵な笑みを浮かべたまま、驚いてはいても動じていない。

影の異能の強化を知っても、アイルズが負けるとは考えていないのだろう。その自信、すぐにでも砕いてあげる。

貴方の実力を。

「見せてあげなさい。ディル」

「……」

戦いの最中、ディルと視線を合わせる。

これ以上動いてもいいのかと、視線で訴えかけてくる彼に、私は纏わせた影を操って後押しをする。

このくらいなら追いつける、とアピールするように。

すると彼は、小さく笑った。

「ありがたい」

「くっ……」

突如、斬撃の速度が増したディルにアイルズが押し飛ばされる。吹き飛んだ先で一回転し、華麗に着地したアイルズが敵を見据える。

「……ずるい人だ。手加減をされていたのですか?」

「そういうわけじゃない。ただの気遣いだよ。もちろん、あんたに対してじゃない」

「……左様ですか」

アイルズは真剣な表情で剣を構え、ディルのことをじっと見つめる。集中力の深さが見ている側にまで伝わってくるようだ。

剣士としての技量、鍛錬の質、これまでの経験……おそらく、どれをとっても今のディルを上回っている。それをディルも感じている。

ただ一点、彼らには大きな違いがあった。

「行くぞ」

「はい。受けて立ちましょう」

次の一撃で勝敗が決まる。刹那の決着は、ただ一振りの斬撃。気づけば互いに、背を向けて立っている。

振り下ろされた剣の……刃がカランと音を立てて地面に突き刺さる。

「……」

「……お見事」

砕けたのは、アイルズの持っている剣だった。

アイルズは剣から手を離し、その場にバタンと倒れ込む。

「勝負あり！　先鋒戦、勝者はセレネ陣営、ディル！」

「勝ったな」

「ええ、当然よ」

ディルが負けることなんてありえない。

最初はわかっていた。

経験も技術もアイルズのほうが上だけど、彼らには大きな差がある。与えられた強大な力が、自分自身のものか、否か。

これは大きく明らかな差だ。

ディルは最初から、自分自身の力で戦っていた。他者の加護で守られているだけの人間など、本物の異能者に勝てるはずがない。

この勝利は必然で、勝って当たり前のこと。

それでも……。

「よくやったわね、ディル」

「ああ」

期待した通り、十分な活躍に私は歓喜する。

初戦で勝利を収めた私たちは有利な立場にいる。

続く中堅戦も勝利すれば、その時点で私たちの勝利は確定する。ただし、中堅戦の相手はゴルドフ、世界最強の男だ。

ハッキリ言って勝利は難しい。と、私とディルは考えている。

「次は俺の番だな！　しっかり応援していてくれ！」

「ええ、頑張って」

「ああ、よく見ておくんだ！　この俺が君に勝利を届けてあげよう！」

「……」

どうやらこの男だけは、本気で自分が勝つと思っているらしい。この自信は一体どこから湧いてくるのだろう？

「私に負けた癖に」

「おい、せっかくやる気なんだから余計なこと言うなよ」

ディルがこそっと私の耳元で囁く。

「優しいのね」

「お前よりはな」

一戦目でしっかり勝利したディルが私の隣で呆れている。

そう、彼は勝利した。私にとっては当たり前の結果だけど、彼女にとっては計算外だったはずだ。

私はそっと視線をシオリアに向ける。

「どうかしたか？」

「……落ち着いているわね」

「……そうだな」

アイルズがディルに敗北したのに、シオリアは一切動揺していない。まるでここまで計画通りだと思っているかのような落ち着き様が……不気味で、不可解だった。

「ゴルドフはともかく、ソレイユが勝つと思っているのか？」

「どうかしら。だとしたら……不快だわ」

私のことを完全に侮っているってことでしょ？　か弱い妹相手に本気で戦えないとでも思っているのかしら？　そう予想しているのなら、考えの甘さを嘆くといいわ。

「何を怖い顔をしているんだい？　フィアンセ」

「……違うって言っているでしょ？」

「つれないな。だが、そう気負うことはない。君が戦うまでもなく、次の戦いで勝敗は決する」

「だといいわね」

そんな奇跡が起こったら、確かに少し……彼のことを見直すかもしれないわ。ただ、そんな奇跡は……。

「起こるとは思えないけどね」

アレクセイの強さは知っている。実際に戦い、口先だけの男ではないことも理解している。それでも尚、相手が悪すぎる。

「両者前へ！」

立会人の掛け声に合わせ、二人は向かい合う。

水の守護者アレクセイ・ワーテルと、大地の守護者ゴルドフ・ボーテン。この両者が対立し、戦うことになるなんて……一体誰に予想できただろうか。

「不服そうだね。ボーテン卿」

「そう見えるか？　アレクセイ殿」

「ああ、貴殿の性格は知っているとも。上からの命令には逆らえない立場だということもね」

「……」

ゴルドフは口を噤む。否定しないということは、アレクセイの発言を認めることに等しい。アレクセイは笑みを浮かべる。

「だが、手を抜く気はないのだろう？」

「当然だ。俺は俺の役目を全うする」

「そうでなくては困る！　手を抜かれて勝利しても何の意味もないからな！」

戦う前から火花を散らす両者に、立会人も怯えていた。彼は逃げる様に、戦闘開始の合図を言い放つ。

「は、始め！」

一戦目と同じように立会人は下がろうとした。が、それよりも早く――

「うわっ！」

水と大地の力が衝突し、衝撃波によって吹き飛ばされてしまう。

開始の合図とともに動いたゴルドフとアレクセイ。ゴルドフは重力操作の力で強化した剣を振るい、アレクセイは生成した水を刃（やいば）のように変形させて操る。

二つの力が衝突し、激しい突風と水しぶきが舞う。

「やるじゃないか！　俺の初撃を簡単に受け止めるなんて！」

「それはこちらのセリフだ」

ゴルドフが剣に力を込め、アレクセイの水の刃を両断する。咄嗟（とっさ）に後退したアレクセイは、水を渦巻くように操り、ゴルドフの左右から攻撃する。

ゴルドフは地面を蹴り飛ばし、周囲の地形を変形させて地面の盾を作り出した。水の渦は盛り上がった地面に阻まれてしまう。

ゴルドフが持つ大地の異能。その力は大きく二つ。周囲の地形を操ることと、重力操作だ。

彼の一撃は岩をも砕くほど強烈で豪快だ。その秘密は、単純な腕力ではなく、重力を操ることで爆発的な破壊力を生み出している。

対する水の守護者アレクセイの異能はいたってシンプルなもの。水を生み出し自在に操ることができる。

能力は単純だけど、これが意外と厄介だった。私は実際に戦ったことがあるからわかる。

水というものは液体で、どんな形にも変化する柔軟性を持ち、高密度に圧縮することで岩をも砕く破壊力を生むことも、鋭く鋭利な刃に変わることもできる。

まさに変幻自在、十の予測に百の結果で応えることができる万能な力だ。

「水よ舞え！　この空間を支配しろ！」

アレクセイは優雅なダンスを踊るように水を操り、周囲を水で満たしていく。彼は空気中に存在する水分すら操り、空間を自身に都合のいいフィールドへと変貌させる。

しかし当然、ゴルドフも見ているだけではない。

彼は大地の異能で重力を支配し、周囲に蠢（うごめ）く水を悉（ことごと）く大地へとしみこませる。

「無駄だ。俺を前に、その程度の軽い攻撃は届かない」

「そのようだね！　だったらこういうのはどうかな？」

突如として地面から水しぶきが舞う。

アレクセイは地上だけではなく、目に見えない地下でも水を蓄えていたらしい。その水源を一気に解き放ち、瞬く間に空間は水で満たされる。

作り上げられたのは水の牢獄。

球体のように水が集まり、ゴルドフを包み込む。

「まだ終わらないよ！」

「――！」

さらにアレクセイは、球体となった水を圧縮させる。アレクセイの狙いは水中での窒息ではなく、水圧で押し潰すこと。

いかにゴルドフとはいえ、その肉体は人間のものだ。四方八方、隙間なく押し寄せる水の圧力に耐え続けられない。

「さぁ、降参するなら――!?」

アレクセイは驚愕する。

高密度に圧縮され、普通なら圧力に負けて気絶する水圧の中で、ゴルドフは剣を上段に構えていた。

彼はそのまま振り下ろす。

たった一撃で、水の牢獄は両断された。

「……まさか、これを破るとはね」

「……ふぅ」

全身ずぶぬれになりながら、ゴルドフは剣を大きく空振り、刃についた水滴を落とす。

負傷や疲労は一切見られない。

「今度はこちらの番だ」

ゴルドフが地面を蹴り、大きく前進する。

あまりの強さに地面がえぐれる。一瞬にしてゴルドフはアレクセイの眼前に迫り、横薙ぎの一撃を繰り出す。

間一髪、アレクセイはゴルドフと自らの間に水の膜を作り、光の屈折で距離を惑わせ回避した。

後退するアレクセイ。ゴルドフはそれを追撃する。

アレクセイは水を操り迎撃するが、ゴルドフはそれらを意にも介さず突進し、攻撃だけに集中していた。

先ほどまでとは打って変わり、ゴルドフ優勢の一方的な展開になる。

「はぁ……はぁ……」

攻撃を凌ぎ続けてきたアレクセイだが、先に体力の限界が訪れたようだ。肩を大きく上下させ、水ではなく汗が額から流れ落ちている。

誰の目線から見ても、アレクセイの敗色は濃厚だった。

「善戦したけどここまでね」

「ああ、これ以上はもう……」

「ええ。アレク――！」

もういいと、彼に声をかけようとした私は気づく。

誰もが彼の敗北を予感する中で、未だに瞳の熱意を絶やさない男がいることを。その男を前にして、一切の油断をしていない男がいることを。

私は直感した。

アレクセイはまだ諦めていない。勝つ気でいる。そして、そのことを悟ったゴルドフも、未だ緊張の糸を緩めていない。

二人は戦うつもりでいる。このまま、決着がつくまで。

「はぁ……嬉しいな。ちゃんと全力を出してくれているみたいじゃないか」

「当然だ。アレクセイ殿は戦士の眼をしていた。その眼をしている相手を前に、騎士たる俺が手を抜くことはない」

「さすが、この国を守り続けてきた男……その強さに敬意を表する」

アレクセイは大きく深呼吸をして乱れたリズムを整える。その瞳は静かに、しかしまっすぐにゴルドフに向いている。

ゴルドフは剣を構え直す。

「悔しいが、どうやら今の俺ではボーテン卿には勝てないらしいな」

「――！　それは、降参するという意味か？」

「そんなわけないだろう？　男が一度戦いを挑んでおいて、負けそうだから降参する？　そんな無様な姿を誰が見せられよう！」

「……ならば」

「ああ、俺は戦う。勝てないことは悟ったが……それでも――」

アレクセイは右手をかざし、人差し指を突き立てる。その指先には、小さな水の球体が浮かんでいた。

「負ける気は毛頭ない！」

「――」

直後、ゴルドフが駆け出す。

彼は悟ったのだ。その小さな球体が、アレクセイにとっての切り札であることを。と同時に、二人の戦いを観戦していた私は気づく。

アレクセイが能力で生成した水は、自然に蒸発しない限り消えることはない。戦いが長引くほど、水は周囲に溜(た)まり続け、アレクセイにとって有利なフィールドになる。

しかし、気づけば辺りから湿気が消えている。

水の猛攻、巨大な水の牢獄まで生成したのに、地面には水溜まり一つすらできていない。

この短期間で自然に蒸発することは考えにくい。ならば、彼がこれまで生成した水はどこに消えたのか。

その答えこそが、アレクセイが指先に浮かべる小さすぎる水の塊だった。

アレクセイが水の牢獄で見せた技。集めた水をさらに高密度に圧縮させる力を、極限まで高めて作り出した一粒の雫。

その小さな小さな水の塊には——大洪水を起こすだけの水圧が込められている。

「死なないでくれよ。お互いにな」

「くっ——」

ゴルドフが斬りかかるよりも一瞬早く、アレクセイは高圧縮した水を全て解放した。爆発的に四方へ散った水の勢いは、観戦していた私たちの元へ届くほど。

それでも私たちを巻き込むほどではなかった。ここまで計算して技を放ったのなら、素直にアレクセイの技量に感服する。

たとえ……勝てなくとも。

「ごほっ、ぐ……」

水圧に押し流されたゴルドフが、壁にもたれかかりながらせき込む。至近距離で水圧を食らって尚、意識を保っている。

「なんてタフさだ」

「アレクセイは？」

視線の先に、地面に倒れ込んでいるアレクセイを発見した。胸は動いているから死んではいないけど、起き上がらない。

立会人が慌ててコロシアムの中心に立つ。

「アレクセイ様は戦闘不能となりました！　よって勝者は――」

「待て！」

呼び止めたのはゴルドフだった。

彼は未だ地面にしゃがみこみ、剣も手から離している。

「俺も……まったく動けそうにない。だから、ここまでだ」

「で、では……」

「ああ、構わない。この勝負は――」

「引き分けね」

予想外のことが起こって、私も思わずボソッと言葉が漏れてしまった。

彼には失礼だけど、ゴルドフとの一戦は完全に捨て試合で、アレクセイが勝利するなんて微塵も思っていなかった。

両者の間には、それくらいの実力差があったと見ている。

それがまさか……勝利こそできなかったけど、引き分けるなんて。

「嬉しすぎる誤算ね」

「ああ。ちゃんと労ってやれよ」

「……そうね」

私はゆっくりと倒れているアレクセイの元に歩み寄る。彼は未だに動きもせず、仰向けに倒れていた。

私は彼の傍らに立って、顔を覗き込むように見下ろす。

「生きているかしら？」

「……ああ、なんとかね」

かすれた声が返ってきた。肩と胸を大きく動かし呼吸しているところを見ると、ひどく消耗しているのは明らかだ。

「治療はできるのでしょう？」

「できる……が、残念ながら肋骨が数本折れている。俺の力では、骨折までは治せない」

「そう。だったらしばらく安静にしていることね」

あれだけの爆発的な水圧に押し出されて、肋骨数本の骨折で済んでいるのが奇跡だと思う。下手をすれば二人とも死んでいた。

「随分と派手にやったわね」

「そうだね……あれくらいやらないと……勝てないと悟ったのさ」

「そう」

「……結果は？」

「引き分けだそうよ。ゴルドフは意識があったみたいだけど、ピクリとも動けないそうね」

「……そうか」

アレクセイは唇を嚙みしめる。

「すまなかった。期待に応えることができなかった」

「……そんなことないわ。期待以上よ」

「だが、俺は勝てなかった」

「負けると思っていたのよ、私はね。相手は世界最強の男、どうあがいても勝ちの目はないと思っていたわ」

「ああ、彼は強かったよ」

「そうね。けど、そんな男と貴方は引き分けたわ」

世界最強の男と戦い、倒せないまでも彼を戦闘不能にまで追い込んだ。ディルのように不死身でもない彼が成し遂げた。

「胸を張りなさい。貴方のこと、少しだけ見直したわ」

「……ははっ、惚(ほ)れ直してくれても、いいんだぞ？」

「ふっ、それは無理よ。最初から惚れていないもの」

「それは……残念だ」

悔しそうに、けど少し満足気な笑顔を見せて、彼は意識を失った。

しゃべっているだけでも辛かったはずだ。私の前だからって格好つけて、平気なふりをしていたのでしょうね。

まったく、強がりが強すぎる人だわ。

その後、アレクセイは救護の人たちに担がれ、コロシアムを去って行った。ゴルドフも一緒に、といっても彼の場合は、自分の足で歩いてたけど。

二人を見送った私とディルは、改めてシオリアと向き合う。

「おめでとう、セレネ。ここまで一勝一分けね」

「……予想外ではなかったの？　ゴルドフ・ボーテンの引き分けは」

「ええ、予想外だったわ。負けるとは思っていなかったけど、引き分けまで考えていなかったわね。そういう意味で、初戦の結果も驚いたわ。ソレイユの、太陽の加護を受けた人間に勝ってしまうなんて」

「……」

私はシオリアを見ながら訝(いぶか)しむ。

どうして笑っていられるの？

一勝一分け、これでもうシオリアたちの勝利はなくなったようなものよ？

「一応先に確認しておくわ。もし最後の戦いでそっちが勝った場合、勝敗はどうなるの？」

「その時は引き分け。お互いに代表者を一人出して、その勝敗で決着をつけるわ。代表者はすでに戦った三人の誰かよ」

「……そう」

やはり意味がわからない。

大将戦は私とソレイユの戦いになる。ハッキリ言って勝負にもならないと私は思っている。

いかに太陽の異能に覚醒していても、ソレイユがアレクセイやゴルドフのように、異能を駆使して戦えるとは思えない。

仮に私が棄権して、大将戦を敗北にしたとしても、向こうの陣営で決戦に出られるのはソレイユしかいない。

私かディル、どちらかとの戦いは避けられないし、ディルでも彼女に負けるところなんて想像できないわ。

状況はシオリアにとって圧倒的に不利なはず……なのに、彼女は未だ笑みを浮かべていた。

何を考えている？

何を狙っているの？

不気味さが増して、人間を相手にしている感覚じゃなくなってくる。

でも……。

「それじゃ、最後の戦いを始めましょう」

私がソレイユに勝利すれば、シオリアが何を考えていようとも関係ない。当主として改めて、彼女の思い描いた計画を聞き出してあげましょう。

私はソレイユに視線を向ける。

「私たちの番よ、ソレイユ」

「……はい」

まったく乗り気じゃないソレイユだったけど、ここに来て少しだけやる気を見せる。やる気、というより覚悟を決めたような顔だった。

「やりすぎるなよ」

「それは相手次第よ」

心配そうな顔をするディルを横目に、私はコロシアムの中心へと歩いていく。

私とソレイユは立会人を挟んで向かい合う。

「三戦目につき、ルールの確認は割愛させていただきます。両者ともよろしいですか？」

「ええ、私は構わないわ」

「……大丈夫です」

私とソレイユの同意を確認したところで、立会人は両者の顔を一度ずつ確認し、決闘開始の合図を口にする。

「それでは……始め！」

ついに始まった最終決戦。この戦いで私が勝てば、これまで通り当主としての地位は守られる。

ソレイユ陣営にとっては負けられない戦いだ。だけど……。

「こないの？」

「……」

開始の合図が聞こえてから、すでに十秒が経過していた。ソレイユは一歩も動かず、黙って私のことを見つめている。

私はあえて動かなかった。ソレイユの出方を見たかったから。もちろん、それだけじゃなくて……

彼女に確かめたかった。

「……はぁ、最後にもう一度だけ確認してあげるわ」

「……」

「ソレイユ、私と戦う気はあるの？」

「――！」

ソレイユはピクリと反応してみせた。

こうして向かい合って尚、未だに私への敵意は感じられない。戦う者が放つ覇気もなく、廊下で偶然すれ違った時のように、ただ私の前に立っている。

立ち姿も戦いの素人でしかなくて、正直……気が抜けてしまう。だから問いかける。彼女自身の意志がどこにあるのかを。

私の中でも、少なからず良心は残っているつもりだ。戦う意思すらない相手を、一方的になぶるつもりはない。

彼女が降伏するのであれば、私はそれを認めよう。

「……あります」

「――！　ソレイユ……」

「私は戦います。お姉さまと！」

「……そう」

どうやら、余計な気遣いをしてしまったようね。

彼女の瞳に、初めて戦う気力が宿ったように見える。覚悟を決めて、か弱い拳をぎゅっと握っている。

「なら、手加減はできないわよ」

私の前に敵として立ちはだかるのなら、相手がソレイユでも容赦はしない。

障害は排除する。全力で。

「影よ——捕らえなさい！」

私は右手をソレイユに向けてかざし、自身の足元にある影を鞭のように操る。影の鞭は撓り、ソレイユに向けて伸びる。

「太陽の輝きよ！　私をお守りください」

対するソレイユは胸の前で祈るように手を組み詠唱する。

太陽のごとき暖かな光が彼女の周囲を包み込み、強固な結界となって私の影から自身を守った。

結界に阻まれた影の鞭はソレイユの周りで漂う。再び攻撃を繰り出しても、結界に阻まれてソレイユには届かない。

「やるわね、ソレイユ」

「いっぱい、特訓しました！」

「そう、健気だわ」

太陽の異能……お父様が使っていたものと同じだけど、残り香とは比べ物にならない力の強度ね。

あらゆる障害から対象を守り強化する太陽の光。そして……。

「日の炎よ！」

ソレイユの頭上に、オレンジ色に輝く炎の球体が出現する。

まるで小さな太陽がそこにあるような熱気と圧力。球体から漏れ出る炎が渦を巻き、私に向かって押し寄せる。

私は左手を前にかざす。

「呑み込みなさい」

前方に影の壁を生成し、放たれた炎の渦を防ぐ。ただ防いでいるわけではなく、影の中に炎を吸収し、別の場所へ逃がしている。

直感的に、単純な防御の壁では突破されるような予感がした。だから影で攻撃を移動させるように切り替えた。

太陽の異能は強力だ。単純な火力だけなら、全ての異能の中でも最強とも言っていい。もし、全盛期のお父様が魔獣討伐に参加していたのなら……もっと手早く決着はついたでしょう。

相手がソレイユでも、太陽の異能を使いこなしているなら油断はできない。

ただ……。

「影よ、追え」

攻撃が止まったタイミングを見計らい、私は影を操りソレイユを攻撃する。防がれた初撃を考慮しつつ、攻撃の速度と強度を向上させた。

加えて攻撃する場所もピンポイントに、一か所に複数の攻撃を当てる。

いかに強固な結界であろうと耐久性があるのであれば破壊することは可能だ。ソレイユの結界にバキバキとひびが入り、彼女は慌てて炎を放つ。

攻撃で私の意識を防御に向けるつもりみたいだけど、甘すぎるわ。そんな中途半端な攻撃なんて、軽く影であしらってあげれば躱せてしまう。

明らかにさっきの攻撃よりも威力が弱かった。

連続で出し続けると威力が下がる？

私はそうじゃないことを知っている。お父様が操る炎をループの中で何度も見せられ、時に自らの身体で味わった。

太陽の異能はこの程度じゃない。

弱い理由は、明白だ。

「ふざけているの？　ソレイユ」

「――――！」

「気づかないとでも思ったの？　私相手に手加減なんて……何を考えているのかしら？」

「……」

ソレイユは口を噤む。

戦いが始まる直前の覇気はどこへやら。

彼女の攻撃から一切の敵意が感じられない。その瞳からも、わずかに見せていた戦意がいつの間にか消えてしまっている。

さっきの攻撃も、私の攻撃に耐えかねて反射で放っただけだ。

「勝つ気がないなら降参しなさい。でないと怪我をするわよ」

「……でき、ません……」

「……それはお義母様の命令だから？」

ソレイユは回答を詰まらせる。

その通りです、とはさすがに言えないでしょう。シオリアが見ている前で、自分は言われてやっただけですとは口にしない。

彼女は甘くて優しすぎるけど、変に意志は固い性格だから。

一度決めたことを、簡単に投げ出すような子じゃないことを、私はよく知っている。そういう性格にシオリアが付け込んだのだとしたら、少しだけ不愉快ね。

おかげでこんな茶番を演じているのだから。

「お母さまのためだけじゃありません」

「そう？　じゃあ何のためにそこに立っているのかしら？」

「……お姉さまを……取り戻すんです」

「――何を言っているの？」

ソレイユの口から漏れた言葉に、私は首を傾げる。

私を取り戻すと言った。一体どういう思考が働いて、そんな言葉を口にしたのだろう。その疑問は、彼女自らの言葉で明かされる。

「私が知っているお姉さまは……とても優しい人だった」

「そう見えていたなら勘違いよ」

「違います！　ずっと見ていたからわかります！　お姉さまが本当は優しい人だって！　でも、今のお姉さまは苦しそうです」

「苦しい？」

ソレイユには、そんな風に見えているのね。

本当は優しい私が、無理をして強く振る舞っているだけだと……。

私は笑ってしまう。まったく、見当違いもいいところだわ。

「私は自分の意志で行動しているのよ。苦しかったのはむしろ、こうなる前だわ」

「――！　お姉さま」

「来なさい、ソレイユ。貴女の考えが間違っていることを教えてあげる」

「……太陽の炎よ！」

ソレイユの頭上に再び小さな太陽が生成される。

大きさも、発する熱量も先ほどとは明らかに違う。真剣な瞳からはうっすらと涙が零れ落ち、決意するように拳を握る。

ようやく本気で私に攻撃する気になったみたいだ。私は心の中でホッとする。そうでなければ意味がない。

彼女の勘違いを正すなら、その全てを受け止めて、上回ってこそ……。

「見せてみなさい。貴女の本気を」

「……いきます！　私が勝ったら、優しいお姉さまに戻ってください！」

「――ふっ」

豪炎を前にしても笑ってしまう。

優しいなんて勘違いをされて……私の性格を決めつけられているのに、不思議と苛立ちを感じないのはなぜだろう。

どうしてだろう？

ほんの少しだけ、その勘違いが嬉しいと思ってしまうのは。

私は目を瞑り、自分に問いかけるように胸に手を当てる。

「影よ……全てを呑み込め」

迫る太陽の光と炎。その全てを、私の影が呑み込んでいく。

一切の光が届かない漆黒に、音も迫力もなく消えていく様は、まさしく絶望と呼べるだろう。

眩しいほどに輝いていた小さな太陽は消失し、ポツリと残された彼女は、膝から崩れ落ちるようにしゃがみこんでしまう。

そんな彼女の前に、ゆっくりと私は歩み寄る。

「私の勝ちよ、ソレイユ」

「……どうして、お姉さまは変わってしまったのですか……」

しゃがみこんだ彼女の膝に、ぽつりぽつりと涙の雨が降っている。戦いの場で情けなく、敵を前にして涙を流すなんて……本当に滑稽だわ。

呆れて笑ってしまうほどに。

「勘違いもほどほどにしなさい。私は何も変わってなんていないわ」

「そんなわけありません！　お姉さまはきっと何かに取り憑かれてしまったんです！　そうじゃなかったら……こんなに変わってしまうなんて……」

「取り憑かれた……ね」

彼女にはそう見えたのでしょう。

あの日、異能を見せつけお父様と決別した時も、彼女は同じようなことを言っていた。優しいお姉さまに戻ってください……と。

彼女の記憶の中にいる私は、確かに優しかったのかもしれない。ループを経験する前のことは、もう遥か昔のことのように思えてくる。

思い返せば……そうだった。

誰もが私に辛く当たり、邪魔者扱いする屋敷の中で、彼女だけが唯一……変わらず接してくれた。

私が愛人の子供だと知った後も、いつもみたいに無邪気に、お姉さまと呼んでくれた。私の出自なんて関係ないと、言ってくれているように……。

だから私も、彼女には優しく接しようと……できるだけ笑顔でいてあげようとしていた。我ながら健気だった……あの頃の私は、甘かった。

「ソレイユ、貴女には感謝しているわ」

「お姉……さま……？」

「けど、私は私なの。信じられないかもしれない。それでも……今、貴女の目の前にいる私こそが、本当のセレネ・ヴィクセントよ」

「っ……私は……」

彼女が流す涙は、とても悲しくて冷たく感じる。触れなくてもわかってしまうのは、姉妹だからなのだろうか。

いいや、きっと私の中に罪悪感が残っているからだ。

私のことを最後まで慕ってくれていた妹に、悲しい顔をさせ、不本意に戦わせて、涙まで流させてしまったことに。

それでも私は進まなくちゃいけない。妹の涙がしみ込んだ地面を踏みつけて、このふざけたループを抜け出すために。

私は立会人へと視線を向ける。

「勝負はついたわ」

「は、はい！　ソレイユ様の戦意喪失につき、勝者はセレネ様となりました！」

立会人の声が響く。決闘の勝敗が決まったのに、歓喜も拍手の音も響かない。ただ静かに、立会人の声が響く中でたたずむ。

ようやく終わった。この馬鹿げた茶番劇が。

私が小さくため息をこぼすと、パチパチパチと拍手の音がコロシアムに響く。

すぐに視線を向けた。拍手していたのは彼女だ。

「おめでとう、セレネ」

「お義母様……」

「ソレイユもよく頑張ったわね。二人ともとてもいい決闘だったわ」

「……気持ち悪い」

思わず声に漏れてしまった。

ずっと思いながら我慢していた言葉が、このタイミングで口から出たのは、心底気持ち悪いと思ってしまったからだ。

勝負は私たちの勝ちとなり、自分から仕掛けた勝負で敗北したはずのシオリアは、最初から最後までニコニコと笑っていた。

ソレイユの敗北をなんとも思っていない。

それどころか、私とソレイユどちらも称賛するような言葉をかけている。その態度が、言動が、何もかもが気持ち悪かった。

「これで、当主はこれまで通り私でいいわね？」

「ええ、もちろんよ。見事だったわ」

「……じゃあ、当主として聞くわ。シオリア・ヴィクセント……貴女は何を考えてこんな茶番を仕掛けてきたの？」

「あらあら、茶番なんてひどい言い方ね。妹が健気に昔の貴女を取り戻そうと頑張ったのに」

「ふざけないで。どうせそれも、貴女が唆けたんでしょう？」

シオリアはニヤリと笑みを浮かべる。

ソレイユは甘すぎるほどに優しい。自分から、私と戦おうなんて考えが浮かぶはずがない。シオリアが唆し、逆らえない命令を下しただけだ。

その結果、彼女は何を得た？

私にはさっぱりわからない。彼女が何を考えているのかが……だから尋ねた。

「答えなさい。これは当主としての命令よ」

「怖い顔……そういうところはラルドにそっくりね」

「一緒にしないで」

「ふふっ、私の目的が知りたいのよね？　ええ、教えてあげるわ。十分にいい頃合いだもの」

シオリアは嬉しそうに語りながら周囲を見渡す。

不気味な笑みが張り付いたその顔で、私と視線を合わせる。

「ソレイユは頑張ってくれたわ。欲を言えば、もう少し貴女のことを追い込んでほしかったのだけど……」

「何を言っているの？」

「でも十分だわ。大地と水の守護者は激戦を終えて戦える状態じゃなくなった。ソレイユは戦意喪失しているし、貴女も多少は疲れているでしょう？」

「だから……どうしたというの？」

不気味な雰囲気がより明瞭になっていく。

見間違いだと思っていた。けれど、ハッキリと見えているそれを、見間違いだとは思えなくなる。

それが見えているのは私だけじゃない。私から距離を離し、ずっと後ろにいたディルも違和感を感じ取っていた。

「この感覚は……」

「どういうことなの？」

シオリアの身体から黒く濁ったオーラのようなものが漏れ出ている。私がディルに纏わせていた影の力に似ていた。けど、明らかな別物。

未知の力、新たな異能の発現？

違うことはハッキリしていた。私はこの感覚を知っている。目の前にして、対峙している。

シオリアが放つそのオーラは……。

「魔獣の……力？」

「ふふっ、さぁ――時間よ」

シオリアが両腕を広げると、彼女の背後の地面に黒くどろどろとした穴が生成された。穴の中からボコボコと姿を見せたのは、異形の怪物……魔獣の群れ。

四本足で狼のような鋭い牙を持ち、赤黒い瞳でこちらを見つめている。その数は十……二十を超えている。

加えて翼を持つ魔獣もいる。見た目は大鷲に似ているけど、不気味な骨が見え、まるで大鷲が腐りかけた状態で固まったような姿だ。

とにかく不気味で、魔獣らしい見た目をしている。

「本当によくやってくれたわ、ソレイユ！　貴女のおかげで、私は簡単に守護者たちを殺すことができてしまいそうよ」

「お、お母さま？」

「ええ、そうよ。私は貴女の母親よ」

シオリアがソレイユに見せた笑顔は不気味すぎて、隣で見ていた私でさえ背筋がぞっとする。

シオリアがどうやって魔獣を召喚したのか、彼女が魔獣と同じ力を纏っている理由はなんなのか。疑問しか浮かばないし、状況の整理はつかない。けれど今、私がすべきことは悩むことじゃない。

「影の檻（おり）よ」

「ふふっ、さすがに行動が早いわね」

シオリアと魔獣をまとめて影で捕らえようとしたけど失敗する。シオリアは大きく後退し、魔獣たちは四方へ散り散りになる。

一瞬にして私とソレイユは魔獣に囲まれてしまった。

「セレネ！」

「ディル！」

「くそっ、こいつら……」

私たちとディルの間にも魔獣たちが立ち塞がる。分断されてしまったけど、彼のことなら心配はいらない。魔獣の数は多いけど、あの時のような災害級の魔獣たちじゃない。

私の力なら十分に戦える。

「私のことはいいわ！　それより……」

「ひ、ひぃ！　魔獣がどうして！」

私はコロシアムの端っこに視線を向ける。

立会人の男が腰を抜かし、今にも魔獣に襲われそうになっていた。彼はシオリアに雇われてここにいる。ハッキリ言って不憫(ふびん)ね。

「可哀想だから助けてあげて」

「……わかった。油断するなよ」

「貴方もね」

「さぁ……」

不気味な笑みを絶えず表情に張り付けているシオリアと、私は改めて視線を交わす。

見た目は人間、シオリア・ヴィクセントで間違いない。人間の姿に化けることができる魔獣が存在した？

だとしても、さっきまでの振る舞いが説明できそうにない。彼女の口調や立ち振る舞い、その全てが彼女はシオリアだったと告げている。

しかし今の彼女は……人間の形をしているだけで怪物に見える。

「ふふっ、考えているわね。私が何なのか。魔獣なのか……人間なのか、わからないでしょう？」

「……」

「特別に教えてあげる。どちらも正解よ」

「どちらも……？」

「そう。私は見ての通り人間……貴女たちがよく知るシオリア・ヴィクセントで間違いないわ。けれどそれだけじゃない……私は魔獣の力を、意志を持っているの」

「魔獣の意志？」

シオリアが何を言っているのか私には理解できない。ただ、どこかの魔獣がシオリアに化けていたわけじゃなさそうだ。

彼女はあくまで、私たちが知っているシオリア・ヴィクセントらしい。私にとっては義母であり、ソレイユにとっては……。

「本当に、お母さま……なのですか？」

「ええ、そうよソレイユ、ビックリしたかしら？」

「どうして、そんな力を持っているのですか？　お母さまは、魔獣になってしまったのですか？」

ソレイユの悲痛な叫びと疑問が木霊（こだま）する。

彼女にとっては実の母親。肉親が目の前で、異形の者たちを従えて笑みを浮かべている。恐ろしい以上に、理解が追い付かないはずだ。

シオリアはニタっと気持ちの悪い笑顔を見せる。

「私は私よ、ソレイユ」

「っ……」

「諦めなさい！　ソレイユ」

「お姉……さま……」

動揺しているソレイユを庇うように、私は彼女の前に立つ。

「見ての通りよ。あれはもう、私たちが知っているお義母様じゃないわ」

「……」

「感じるでしょ？　あの人が纏っている力……あれはもう怪物だわ」

「ふふっ、怪物だなんて、母親に対してひどいことを言うのね？」

「今さらよ。それに……あなたは私の母親じゃない。ただの他人だわ」

シオリアがぴくっとわずかに眉を動かし、ニヤリと笑みを浮かべる。

「そうね。貴女は私の子供じゃないわ。あの忌々しい女の子供！　ああ、ようやく殺せるのね！」

シオリアは歓喜に満ちあふれる。

笑みからこぼれ出す殺意が私に向けられ、それに合わせるように魔獣たちが一斉に襲い掛かる。

「影の茨よ」

私は周囲に影を広く展開させ、地面から無数の影のトゲを生み出し、襲い掛かってきた魔獣たちを串刺しにする。

「この程度の魔獣で、私を殺せると思っているの？」

「そうみたいね。なら私も、とっておきを出してあげましょう」

シオリアの背後に再び沼のような穴が生成される。八か所の沼からずぽっと飛び出したのは、黒ずんだ八本の足。

うねうねとうごめき、吸盤のようなものがついている。見た目は巨大なタコの足だ。

シオリアが右手をかざすと、巨大なタコ足が私に向かって倒れ込む。私は咄嗟に影をドーム状に変形させ、タコの足を防御した。

凄まじい衝撃に地面がピキっとひび割れる。

一撃、二撃、三撃と連続でバタバタとタコ足が私を襲う。

「っ……」

「ふふっ、いつまで耐えられるかしらねぇ」

「舐めないで」

私は影を操り、シオリアが操るタコ足と同じものを作り出す。八本の影の足がタコ足と絡み合い、攻撃を受け止める。

「影遊びの真似っこね。悪くはないけど、それじゃ足りないわよ」

しかし、影の足は本物のタコ足を完全に止めることができなかった。強度と攻撃力で劣っているせいで、すぐに数本破壊されてしまう。

私はすぐに再生成して攻撃を受けに行く。

「健気ね」

「……」

「お姉さま！　私も！」

「動かないで！」

私はソレイユを怒鳴りつけてしまった。きっと彼女は自分も戦うと言うつもりだったのだろう。けど、今のソレイユは私との戦いで力の大半を使い果たしている。とてもじゃないけど戦力にならない。そうさせたのは私だ。

思った以上にギリギリの戦況に焦りが生じる。

本当ならソレイユも、自分の身くらい自分で守れたはずだ。それができないほど本気を出させたのは私だから、私が守らないといけない。

それが私の責任……そう思ってしまった。

「……ふっ」

滑稽なのは私のほうだ。

妹を守るのは姉としての責任……なんて、今さら言える立場じゃないのに。

「お姉さま……」

「大丈夫よ。私の傍を離れないで」

「……はい」

「安心しなさい。二人仲よく、殺してあげるから」

シオリアの攻撃が激しさを増す。

タコ足の攻撃に加え、最初に殺し切れなかった魔獣まで加わっている。ディルは立会人を安全な場所に避難させている。彼の援護は得られない。

ゴルドフとアレクセイは異変に気づくだろうか？

いや、気づいたとしても戦えるようなコンディションじゃない。全て彼女の計算の上……私たちが弱ったところを殺すつもりだったんだ。

ここに来て、ようやく彼女の不自然な余裕の正体がわかる。

彼女は最初から、この決闘で勝つつもりなんてなかった。私たちを戦わせて、仲よく疲弊させることが狙いだったんだ。

私たちはそれにまんまと乗せられてしまった。

けれど、誰が気づけるだろう？

身近にいた人物が、魔獣を引き連れ、自らも魔獣の力を宿して敵に回るなんて。

「貴女は……結局誰なの？」

「私はシオリアよ。そう言っているでしょう」

「貴女じゃないわ。その中に紛れ込んでいる……魔獣の意志に聞いたのよ」

「……ふふっ」

シオリアは不敵な笑みを浮かべ、自分の胸に手を当て名乗る。

「私はシオリア……そして、アギア」

「アギア……それが、魔獣としての名前なのね」

「そうよ。最後にその名をよく覚えて死になさい」

ついに私たちを守っていた影の壁が破壊されてしまう。咄嗟にソレイユを抱きかかえ、影の中に避難しようとする。

が、それよりも早く、私の背後からタコ足の一本が伸びる。鞭のように撓らせるだけではない。足の先端は鋭く尖っていた。

ソレイユを逃がすことに気を取られ、自身の防御を怠ってしまった一瞬の隙。私は視線を向けることが精いっぱいで、影は間に合わない。

久しぶりに……懐かしい感覚が全身を襲う。


——死。


「さようなら。忌々しい子」

「お姉さま！」

ああ、こんなところで私は死ぬのか。

ディルが知ったら怒られてしまうわね。それより、悲しんでくれるかしら？

また、どこからやり直せばいいのだろう。

次は上手くやれるように……。

私は諦めから瞳を閉じた。けれど、いつまで経っても痛みはなく、死の瞬間は訪れない。だから私は目を開けた。

その視線の先に映っていた光景に、私は目を疑う。

「……え？」

「ぐ……は……」

「あら……どうして邪魔をするの？　ラルド」

「お父様……？」

私に迫った攻撃は、私に届く前に止められていた。

自らの肉体を盾にして、ギリギリで届かないようにタコの足を握りしめ、食いしばった口元から大量の血が流れ落ちる。

私のことを守ってくれたのは……お父様だった。

「どうして……」

「お父さま！」

ソレイユの悲痛な叫びが木霊する。

直後に正気に戻った私は、周囲の影を極限まで広げ、鋭利な無数の刃物のように変形させる。動きが止まったタコの足をバラバラに斬り裂く。

「っ……やってくれたわね」

「……」

私はシオリアと向き合う。

胸の奥からこみ上げる激情のような感覚に苛まれながら。

「けど残念ね？　今度こそ貫いてあげるわ」

「貴女は……」

「させるかよ」

「――!?」

突然、隕石でも落下したかのように上空から何かが飛来する。

落下したそれは地面を大きくえぐり、私たちを守るように立ちはだかる。

「遅くなって悪かった。無事か？」

「ディル……」

駆け付けてくれたのはディルだった。

その右手には、血液を操って生成した剣が握られている。お父様やソレイユがいる状況で異能を使っていること、普段なら注意する場面だけど……。

ディルも察していた。

シオリアという怪物が、異能を隠して戦えるほど甘い相手ではないと。

「あなたはセレネの……ふふっ、そういうことね」

「お前は……何者だ？」

「それはこっちのセリフだわ！　まさか影以外にも、私たちが知らない異能が生まれていたのね！」

私たち……？

その言い方はまるで――

「他にも仲間がいるのか？　この計画も、お前一人のものじゃないな」

「どうかしらね。まぁいいわ。目的は果たせなかったけど収穫はあったもの。貴女たちの命は、次の機会にちゃんと貰ってあげる」

「――！」

シオリアの足元に沼の穴が生成されている。

彼女の身体は徐々に穴の中に吸い込まれていく。

「逃げる気か？」

「ええ、状況が変わったわ。追ってくるなら好きにしなさい。追えるなら……だけど」

「っ……」

ディルは血の剣を振るってシオリアを攻撃する。しかしタコ足に阻まれ、彼の攻撃はシオリアまで届かなかった。

「くそっ！」

「貴方とは今度遊んであげる。さようなら……セレネ、ソレイユ……それから、ラルド」

「シオ……リア……」

「勘違いしないでね？　貴方のことは……ちゃんと愛していたわ」

そう言い残し、シオリアは穴の中へと消えてしまう。彼女がいなくなった後で、タコ足も穴の中へと戻って行った。

穴は閉じ、残ったのは倒された魔獣の死体だけ……。

「完全に逃げたな。どこにも気配がない」

「そうみたいね」

「怪我は？」

「ないわ。いいタイミングで来てくれたわね。助かったわ」

ディルが駆け付けてくれなければ、私たちはあのまま殺されていたかもしれない。一人ならともかく、ソレイユを守りながらの戦闘は終始不利だった。

もちろん彼女を責めるつもりは一切ない。ただただ、自分の至らなさを痛感しただけだ。その結果、流れてしまった血の意味も……。

「悪いな、もう少し早く駆け付けておけば……」

「貴方のせいじゃないわよ」

私が弱かったせいだ。

「お父さま！　お父さま！」

「ぐっ……ぅ……」

地面に仰向けで倒れ込むお父様に、ソレイユが必死で呼びかけている。腹には大穴が空いて、流れ出る血で小さな血だまりができそうだ。

「待っていてくださいお父さま！　今すぐ私の力で！」

ソレイユは太陽の加護をお父様に与える。

まばゆい光がお父様を包み込む。優しくて暖かい力が流れている。けれど傷が治ることはない。大きく空いた穴はそのままだ。

「無理よ。その加護は、他人を強化することはできても、癒すことはできないわ」

「そんな……ならお姉さまの！」

私は首を横に振る。

「私の異能にも、傷を癒す力なんて備わっていないわ」

「っ……」

太陽と影、どちらの力に頼ろうとも、深々と空いた穴は塞がらない。森の守護者の異能ならあるいは……いいや、不可能だ。

これほど深い傷を治す手立てはない。ぽっかりと空いた穴から、地面が見えそうだ。

「……いや、無駄ではない」

「お父さま！」

「少しだけ……苦しさが和らいだ……ありがとう、ソレイユ」

「お父……さま……」

ソレイユの涙がお父様の頬にポツリと落ちる。

お父様はわずかに腕を動かそうとした。ソレイユの涙を拭ってあげようとしたのだろうけど、力が入らず動かせない。

お父様は死ぬ。あの傷で意識を保っているのが不思議なくらい見ればわかる。

異能もないのに、生身で魔獣の攻撃を受けたのだから当然だろう。

わかっていたはずだ。それなのに……。

「どうして、私を助けたの？」

「お姉さま……」

「あの攻撃は私に向けられていた。ソレイユじゃなくて、なんで私を庇ったの？　お父様は、私のことを憎んでいたのに」

「……ふっ、勘違いするな」

お父様は震えた声で答える。もはや力もなく動かせない首を、無理矢理私の顔が見えるように回して。

「お前のことなど……嫌いだった」

「……知っているわ」

自分が嫌われていることなんて、改めて言われなくてもループの中で私は理解している。だからこそ理解できないんだ。嫌いな相手を、命をかけて守る意味は何？

その疑問に、お父様はゆっくりと口を動かす。

「嫌いだった……だが、心から憎んだことは一度も……ない」

「え……」

思わぬ一言に、私は驚いてしまう。

私はずっと嫌われていて、憎まれていると思っていた。だからこんなにひどい扱いを受けているのだと……。

「憎んでいない……？　ならどうして、私に……」

「憎んではいない。ただ……苛立った。お前を見ていると……嫌でも思い出してしまうから……あいつの、顔を」

「――お母様の」

「そうだ。お前の母親……ニーナの顔だ」

私は、自分の母親のことをよく知らない。

私が生まれた直後に亡くなった……と、聞かされている。会ったことはもちろんないし、名前だって聞いたことがなかった。

聞いても誰も、教えてくれなかった。だから初めてだった。私の……母親の名前を知ったのは。

「ニーナ……それが、お母様の名前」

「ああ、教えていなかった……か」

「ええ、聞いても答えてくれなかったわ。一度も」

「……そうだろうな……口にすれば、思い出してしまう。あいつと過ごした……わずかな時間に、私は多くのものを貰った」

お父様は過去を思い出すように虚ろな瞳で空を見上げる。どこか幸せそうな顔をしていて……お母様と過ごした時間がどういうものか気になった。

いや、それ以上に思ったのは……。

「お母様のこと、愛していたのね」

「ああ、愛していたさ。心から……」

「……」

「シオリアと……同じくらいにな」

「お父さま……」

お父様はソレイユに視線を向ける。

少しずつ声量が落ちて、呼吸もゆっくりになっているのがわかる。命の終わりが近づいているんだ。

ゆっくりと……終わりに向かっている。

ディルもそれを悟ったのだろうか。

彼は私たちの邪魔をしないようにゆっくり、私たちの視界から外れるように距離をとっていた。

彼なりに気を使ってくれているらしい。

ソレイユといい、ディルといい、甘い人たちばかりね。

私なんかとは違って。

「私は……お母様のことをよく知らない。会ったこともないし、今まで名前すら知らなかった」

「セレネ……」

「ずっと思っていたわ。どうして……私は生まれてきたのか。誰にも……望まれていないのに」

「それは……違うぞ」

消え入りそうな声でお父様は口を動かす。

小さくなった声は、耳を澄ましていないと聞こえないほどか細い。私たちは自然と、呼吸する回数すら抑えて、お父様が発する小さな声に耳を傾けた。

「何が、違うのよ」

「ニーナは……お前が生まれることを……心から喜んでいた。我が子の誕生を……喜ばない親などいない」

「……いるじゃない、ここに」

「私とて……嬉しかった」

また、お父様の口から信じられない言葉が聞こえる。

「愛する人との子だ……嬉しいに決まっている。だが……その後、彼女を失った私は……お前に辛く当たった。苦しさを……怒りで誤魔化した」

まるで後悔しているように、お父様の瞳からぽつりと涙が流れ落ちる。

「セレネ……すまなかったな」

「――！」

初めて聞いた言葉だ。

お父様からの謝罪なんて、ループも含めて一度だって聞いたことがない。それも、こんなに優しい声色で……。

なんなんだ……何なのよまったく！

「お姉さま……」

「今さら……遅いのよ。そんなこと言ったたって」

「今だからこそ……だ。どうせ、これが……最後……だからな」

命の終わりを告げるカウントダウンが始まったような気がした。

私の瞳は潤み、視界がかすれていく。瞳に溜まった涙が頬をゆっくりと流れる。地面に落ちてしまうのを我慢するように。

「セレネ……これからは、自由に生きればいい」

「何よ、そんなこと……」

「ああ、お前はもう、自由に生きている……のだろう？　だから、それでいい……何も、気にすることはない」

声が徐々に、聞こえなくなっていく。

私の涙は唇の横まで流れて、あと少しで顎まで届く。

「自由に……好きに生きなさい。お前の……母が……そうだったように」

「言われなくても……そうするわよ」

「そう……か。なら……安心……だ」

「お父様！」

「ソレイユを……頼む」

「……ええ」

お父様の最後の遺言と共に、私の涙は地面に落ちた。

ソレイユの悲しい叫びがコロシアムに木霊する。

最初から最後まで、とんだ茶番だった。一番の道化は私だろう。結局守られて、愛されていたことさえ、気づけなかったのだから。

幕間

姉妹の時間

穏やかに過ぎる時間が当たり前だと思っていた。初めてループを経験した時、私にだけ起こった奇跡だと胸が高ぶった。

何度も、何度も経験して知っていく。これは奇跡なんかじゃなくて、ただの地獄なのだと。

死んでも終われない。苦しい思いを繰り返すだけ。誰も私の味方をしてくれない。独りぼっちで、必ず悲劇が待っている。

だから、悲劇を乗り越えるために立ち上がった。

今までの弱い自分と決別して、自分のためだけに生きていくと決めた。その決断を間違いだと思ったことは一度もない。

今だって、正しかったと思っている。

それでも……やっぱり足りない部分はあったんだ。

何が足りない？

対話、歩み寄り、理解……何もかもが足りなかった。二度と取り戻せなくなるまで、私たちは向き合うことができなかった。

これは私だけの過ちじゃない。私たちが……犯した罪だろう。

ソレイユが眠るベッドの傍らで、私はそんなことを考えていた。

「……う……」

「目が覚めたかしら？」

「……お姉……さま……？」

虚ろな瞳で私の顔を確認して、天井と周囲を見渡し、自分の部屋だということを理解する。そのままゆっくりと起き上がろうとする。

「無理に起きなくてもいいわよ」

「大丈夫、です。あの……どうして私は眠っていたのでしょう？」

「覚えてないの？　あの後、散々泣いてから意識を失ったのよ」

「あ……」

ソレイユは思い出したように小さく声を漏らす。

お父様が息を引き取り、ソレイユはお父様の身体に顔をうずめて泣き叫んだ。どれだけ呼びかけても返事はない。

目の前で肉親の最後を見届ける。ソレイユには辛い経験だっただろう。意識を失ったのは、私との戦いで力を使い果たし、その後の戦闘での緊張が解けたからだと思う。

私と戦う以前から、ずっと気を張っていたのは見ればわかった。

緊張の糸が解けて、お父様の死を前にして溜め込んでいたものを全て吐き出して、倒れるように眠りについた。

そうして思い出した今、彼女は理解させられたはずだ。

記憶に残っている出来事が全て、夢ではなく現実に起こった悲劇であると。

母親は魔獣と化し、父親は殺されてしまった。残されたのは自分と、母親が違う姉の私だけだ。

「……ソレイユ」

「他の皆様は、どうなったのですか？」

「――みんな無事よ」

「そうですか。よかった」

ソレイユはホッと胸を撫(な)でおろしたように安堵(あんど)する。

あの時、コロシアムに残っていたのは私とソレイユだけだった。ディルが立会人を安全な場所に避難させ、戻ってきたおかげで二人とも助かった。

それから念のため、ディルにはアレクセイとゴルドフの元へ向かわせた。シオリア……いえ、アギアと名乗った魔獣の目的は、おそらく異能者の排除。

私たちを殺した次は、戦闘不能になった二人を襲う算段だったはずだ。

ディルの介入で私たちを殺せなかっただけで、戦闘不能になっている二人を殺しに向かった可能性も考えられた。

結果は、二人とも無事だった。

コロシアムから離れ、王城近くにある病院に向かうと、すでにゴルドフは完全回復していた。アレクセイも万全ではないにしろ、自分で立って歩けるようになっていたという。

二人ともタフだ。仮にアギアの襲撃を受けても、二人なら難なく撃退できていただろう。

そういう意味では、彼女の計画は最初から破綻していた。

ただ、彼女の行動には疑問が残る。決闘をわざわざ申し込んできたり、あれだけの力を持っていながら、こんな回りくどい方法を取る理由がわからない。

彼女の立場をうまく使えば、目立たず目的を遂行することだって可能だったはずだ。特に私やソレイユに対しては……暗殺したほうが手っ取り早い。もしも私が彼女の立場なら、まずソレイユを殺すだろう。

一番簡単で、他者を強化する異能は最も厄介になるから。

考えるほど、彼女の行動には矛盾がある。まるで、自分の中で意見が割れているような……意識が二つあるような。もしかすると彼女の意識はまだ……と、希望的な予感はあるけど、彼女が敵である事実は変わらない。

今回の顚末(てんまつ)に関しては、ディルからゴルドフに伝達され、上に報告されることになっている。人が魔獣になってしまう。もしくは魔獣に意識を乗っ取られてしまう……そんな事例は報告にない。

きっと王城は大慌てになるだろう。

ユークリスにも心配をかけたはずだから、早いうちに会って直接話したい。

それにしても……。

「強いわね、ソレイユ」

「え？」

「目覚めてすぐ、自分のことより他人の心配をしたでしょ？　あれだけのことがあった後に、普通はできないわ」

「……」

肉親を二人、同時に失ったようなものだ。

私が考えている以上に彼女の心は疲弊している。それを見せないように振る舞う努力は、健気だけど痛々しい。

正直、見ていられない。

「じゃあ、もう行くわね」

「え……」

「貴女が目覚めるのを待っていただけだから。それじゃ」

「ま、待ってください！」

立ち去ろうとした私の腕を、ソレイユがぎゅっと掴んでくる。

私は立ち止まり、ソレイユのほうを向く。

「もう少し……お話ししていたいです」

「……」

そんな時間はない、と言いたいところだけど、潤んだ瞳で訴えかけてくるソレイユを見て、仕方ないなと折れることにした。

「少しだけよ」

「はい」

私はソレイユのベッドの隣に座る。

数秒、静寂を挟む。

「話したいんじゃなかったの？」

「あ、えっと……何を話していいのか、わからなくて……」

「はぁ……」

「ごめんなさい」

「いいわよ。気持ちは……わからなくもないわ」

思えばいつぶりだろうか？

こうして二人きりで、ソレイユと話をするのは……。

ループを繰り返す度に、私は一人でいる時間が増えた。誰とも話さず、部屋に引きこもることが増えたからだ。

必然的にソレイユとも顔を合わせなくなった。

今回のループでも、目的のために右へ左へと駆け回り、ソレイユと顔を合わせることはなかった。

私よりもディルのほうが話をしているくらいだ。

久しぶりにこうしてゆったり向き合って、何を話せばいいのかわからなくなる。

私はソレイユと……どんな話をしていたのだろうか。

「改めて、私たちは似ていないわね」

「そう、ですか?」

「似ているところなんてある?」

「……えっと……」

「すぐに浮かばないってことは、そういうことね」

私たちは似ていない。

容姿も、性格も、考え方も、似ているところが見つからない。生まれ育った屋敷は同じでも、同じ環境ではなかった。

母親が違うというだけで、私たちは違った生き方をしてきた。

同じなのは、一人の男から生まれたということだけ……。

こうして改めて思い返しても、私たちは他人だと言われたほうがしっくりくる。だけど……。

「姉妹、なのよね……私たちは……」

「はい」

ソレイユは力強く、ハッキリと返事をした。

そして、ゆっくり目を瞑(つむ)る。

「一つ、思い浮かびました」

「何が?」

「私とお姉さまが同じところです」

「へぇ、何?」

彼女は自分の胸に手を当て、思い返すように呟く。

「私たちは、お父さまに愛されていました」

「……そうみたいね」

未だに信じられない。

お父様が、最後に言い残した本心……私のことを憎んではいなかった。私が生まれてきたことを、祝福してくれていたと。

今際の際の言葉だ。あの瞬間に、嘘はなかったと思う。

「……言ってくれたらよかったのに」

「不器用な人だったんですよ、お父さまは……」

「そうね」

「お姉さまによく似ていますね」

「……そうかも、しれないわね」

悔しいけど、私は器用なほうじゃない。それはきっと、お父様に似てしまったのね。

呆れて笑いながら、私は立ち上がる。

「……もう行くわ」

背を向けて、私は部屋の扉へと向かった。すると、ソレイユが再び呼び止める。

「お姉さまは！」

私は扉に手をかけたまま、ピタリと止まる。

背を向けたまま、ソレイユの言葉に耳を傾けた。

「……これから、どうするんですか？」

数秒、考えた。

思い出していたのは、お父様が最後に言い残した言葉だ。決して仲のいい親子ではなかったし、素直に好きだとは言えそうにない。

だけど、父親が最後に……娘に望んだことだから。

「私は変わらないわ。これまで通り、好きに生きるつもりよ」

何にもとらわれることなく、自分が思ったように……自由に生きればいい。

お父様の言葉に、その想いに従ってあげましょう。

「だから、貴女もそうしなさい。ソレイユ」

ガチャリと、扉を開ける。

「好きに生きればいいのよ。私がそうするんだから……誰も文句は言わないわ」

「……はい」

小さく、けど確かに返事が聞こえた。

癒えない傷は深く、そう簡単には納得できない。問題もたくさん残っている。それでも、私たちを縛るものは何もない。

自由に、好き勝手に生きていけばいい。

そういうことくらい、似ていても悪くないでしょう？

第四章

唯一の家族だから

シオリアの裏切りから二日後。

一部の混乱を収めるのに時間を費やし、ようやく落ち着いた頃合いを見計らい、私とディルは王城の地下室へと足を運んだ。

影の移動で地下室に侵入すると、すでにユークリスが待機していた。

「お待ちしておりました。兄さん、セレネさんも」

「遅くなったわ」

「忙しいのに悪いな。毎度呼び出して」

「いえ、ボクも知りたいことですから」

そう言いながらニコリと微笑(ほほえ)み、彼は背後にある石板へと視線を向ける。

私とディルはユークリスの隣に歩み寄り、一緒に不格好に一部が変色した石板を見つめる。

隣からユークリスが私に尋ねる。

「太陽の異能は、回収できたんですね」

「ええ。ここにあるわ」

私は自分の胸に手を当てて答えた。

シオリアとの戦闘後、ソレイユは泣きつかれて気を失ってしまった。幸いただの疲労で、外傷はなかったから治療もいらず、私が屋敷の部屋へ運んだ。

そのついでに、彼女から太陽の異能の力を一部拝借している。おそらく本人はそのことに気づいていないだろう。

ディルには軽く、また泥棒みたいな真似を、と呆れられてしまったけど、私は気づかれずに回収するほうがいいと思っている。

母が裏切り、父が死んで精神的に追い込まれているソレイユを、これ以上他のことで悩ませるのはさすがに酷だから。

私は目を瞑り考える。彼女には彼女の人生がある。お父様が最後に言い残した言葉、自由に生きればいい……あれはきっと、私だけじゃなくてソレイユにも伝えたかった言葉だ。

「さぁ、始めるわよ」

「ついにわかるんだな。この石板の謎が」

「ええ」

この石板には間違いなく、私たち異能者についての秘密が隠されている。すでに変色している部分を見ても、未だに何が描かれているのかわからない。

太陽と月は消えて、影も黒く塗り潰された。中心にいる王らしき人物だけが、変色した後も形を残している。

ただし不完全だ。周囲の守護者たちの変化をもって、この石板は完成する。

私はゆっくり、右手を石板に向ける。私の中には今、王を守護する六つの守護者の異能が宿っている。

以前に試した時は、石板の変化を見ることができず、その前日に時間が巻き戻ってしまった。

果たして今回は……上手くいくのだろうか？

期待半分、不安半分で、二人に見守られながらそっと、私は石板に触れた。

「お願い……」

正解であってほしい。

そんな願いを口にして触れた直後、石板に私の中の力が吸い取られる感覚に襲われた。そして石板が変色を始める。

描かれていた六人の守護者の姿が、徐々に黒く塗り潰されて消えていく。

どうやら条件は満たせたらしいことは、変化を見ている途中に気づけた。前回は変化することすらなく、気づけばベッドの上だった。

今回はそうなっていない。ちゃんと、石板は変化している。

ただ……変化の内容が理解できない。ゆっくりと黒く染まり、細部まで変化した石板に残されたのは……。

「これで……終わり？」

思わず声に漏れてしまった。

変色した石板に描かれていたのは、たった一人残された王だけだった。周囲の景色もなく、守護者たちの存在もなく、王は膝を曲げ、自身を抱きしめるようなポーズで描かれている。

まるで、孤独をじっと耐えている子供みたいに。

「完全に変化しきった……みたいだな」

「そのようですね。この石板が意味するものは一体……！　兄さん、セレネさん、あの人物の左胸を見てください」

ユークリスが何かに気づいて、石板の一部を指さした。

私たちが注目する。ユークリスが見つけた変化に、私たちはすぐに気づくことができた。真っ黒に変色した石板の中で、かの人物の左胸だけが白く描かれている。

ぽっかりと胸に穴が空いているかのような描き方をされていた。

「あれは心臓？　それとも……穴が空いているのかしら」

「ハッキリとはわからないな。けど、他が全部真っ黒であそこだけ白いっていうのは……意味はあると思ったほうがいいか」

「そうね。けど……期待していた何かが描かれているわけじゃなかったのね」

正直、落胆した。

ここまでに至る道のりは、決して平坦(へいたん)ではなく劇的と呼んでもいいほど色濃かった。守護者たち一人一人と接触し、時に争い、時に隠してきた秘密を聞かされ、肉親とも向き合い……やっと手に入れた鍵。

それが、こんな意味のわからない石板の変化だけ……というのは、いささか割に合わない。

せめてもっと……私たちの異能について革新的なことが知れたら……。

そう思いながら、私は何気なく石板に触れた。

直後、私が触れた箇所からまばゆい光が放たれる。

「なっ、これは――」

「光？　セレネさん！」

「これは……」

光は私たちを包み込む。

私たちを照らし、放たれた光は瞳を通して脳へと達する。これはただの輝きではない。私の頭の中には、見知らぬ映像が流れていた。

今から数百年以上の昔のお話。
世界は平和だった。小さな争いこそあれど、人々はともに助け合い。技術を磨き、文明を作り上げていた。
少しずつ、しかし確かに人口は増え続けて、いつしか大きな国々が誕生した。
国が生まれたことで、人々の生活はより豊かに、そして安全なものになったと言える。ただしそれは、最初だけだった。

小さな小競り合いは、いつの間にか国同士の領土、民衆をかけた戦争へと発展した。手に入れた技術を駆使し、他者から情報を、技能を奪い取るために。その先の、国のさらなる繁栄のために多くの血が流れた。

それも仕方がないことだろう。

何千、何万、何億という人間が存在している。姿形の違いだけじゃなく、考え方や性格が同じ人間なんて一人もいない。

同じ時を、同じ場所で過ごそうとも、まったく同じ思考の人間に成長するわけじゃない。だからこそ、対立は起こってしまう。

人々は争う。深層心理では平和を望みながら、平和を手に入れるために戦わなければならない矛盾と葛藤して。

そうして、世界に転機が訪れる。

否、転機ではなく、悲劇と呼ぶべきだろうか。

ある時、とある国が一夜にして滅んだ。他国との争いで敗れたわけでもなく、内紛で国が崩壊したわけでもない。

彼らは襲撃を受けたのだ。未知なる生命体によって……。

その生物は異形である。動物ではなく、昆虫でもなく、もちろん人間でもない。まったく新しい生物……凶暴で残忍な生命体を、彼らは魔獣と名付けた。

そう、世界で初めて、魔獣が誕生してしまったのだ。

どうして突然、魔獣が誕生したのかはわからない。考えるより先に、人々は選択を迫られた。このまま人間同士で争い続けるのか。未知の脅威に対抗すべく、手を取り合うのか。

結論はすぐに出た。

国同士の争いは一旦休戦し、魔獣と戦うために立ち上がったのだ。

共通の敵が生まれることで、争っていた者たちが団結する。皮肉なことに、新たな争いのおかげで、長く続いた戦争は止まった。

それほどまでに、魔獣の存在は脅威だったのだ。

人々は団結し、魔獣に挑んだ。

セラフ、ヴィクトル、ハリスト、ラファイ、ルフス、アギア。

原初と呼ばれる六体の魔獣によって、一つ、また一つと国が滅ぼされていく。人は多くとも、決して強い生き物ではなかった。

生物としての圧倒的な差を思い知らされ、人々の心は折れかけてしまう。そうして人々は心の中で願った。

人類の未来に希望の光を——
どうか、悪しき魔獣を退ける存在が、生まれてきてほしい。

その願いが現実のものとなる。

数多の国々は滅び、事実上最後の国家となった王国に、一人の王子が誕生した。その王子には特別な力が宿っていた。

未来を見据え、大地を砕き、水の流れを支配し、大気を感じ、森の恵みに癒され、太陽の輝きが人々を鼓舞する。

異能と表すべきその力は、人々にとって希望そのものだった。

王子の下、人々は魔獣と戦うだけの力と気力を得た。しかし、王一人では足りなかった。六体の魔獣は、国々を滅ぼすために力を蓄え、成長していった。

故に王は、自らと人々を守るべく、その異能で新たな異能者を生み出した。六体の魔獣に対抗すべく生み出された六人の異能者たち。

王の下、守護者たちは原初の魔獣と死闘を繰り広げ、四年の月日をかけてようやく、原初の魔獣たちを討伐した。

彼らは人類を救った英雄となった。争っていた国々は滅び、最後に残された国家の国王が、人類を統治する支配者となる。

王の傍らにはいつも、六人の姿があった。

後に彼らは、王の守護者と呼ばれるようになったという。

実際の時間にして、数秒の出来事だったのだろう。
私たちは立ち尽くし、頭の中に流れ込んできた情報を処理する。まばゆい光はいつの間にか消えていて、私たちはぼーっと石板を見つめる。

バキバキ、パキッ――


石板がひび割れていることに、私は気づくのが遅れてしまった。

「セレネ！」

「――！」

ディルが私の名を叫んだ。と同時に、石板が激しく大きな音を立てて砕け散ってしまう。バラバラに壊れ、地面に残骸が積み上げられる。

一歩遅れたら壊れた破片の下敷きになっていたかもしれない。ディルが咄嗟（とっさ）に私の腕を引き、抱き寄せてくれたおかげで助かった。

「ふぅ、危なかったな」

「……ありがとう。助かったわ」

「どういたしまして。お前が素直にお礼を言うなんて珍しいな」

「……そろそろ離してもらえる?」

「ん、ああ」

少し、恥ずかしいと思ってしまった。

私はディルから離れ、砕けてしまった石板の残骸に視線を向ける。

「さっきの情報は……」

「お前も見たのか?」

「ディルも?」

「ああ。守護者が生まれた時の記録……いや、記憶か」

どうやら情報が頭に流れ込んできたのは、私一人だけじゃなかったらしい。触れた人が見るのではなくて、あの光に照らされた人が記憶を見るのだろう。

そういう理屈なら、彼も見ているはずだ。

「あなたは見たのね」

「……は、はい」

「大丈夫か?」

「はい。突然だったので驚いただけです」

心配するディルに、ユークリスは笑って返事をする。困惑しているようにも見えた。いきなり脳内に情報を流し込まれたのだから、そういう反応にもなるか。

私たちは流れ込んだ情報を整理するように話し始める。

「今のは守護者たちが誕生した頃の記憶ね」

「ああ。守護者より先に魔獣が生まれて、それに対抗するために王と守護者たちが生まれた……っていう流れだったみたいだな」

「王の誕生は、人々の願いだったのかしら」

「そう聞こえた。いや、感じられたな」

流れ込んできた記憶は、誰かが私たちに物語を聞かせているようだった。誰なのかはわからない。もしかすると、始まりの王が残した記憶とか。

壊れてしまった石板には、独りぼっちの王が描かれていた。この石板を作ったのはかつての王なのだろうか。

「重要なこともわかったな。守護者は王が生み出した……少なくとも、現代に残る六つの異能は、王から派生したんだ」

「そうみたいね。月と影は……この後に出てくるのかしら」

記憶は中途半端なところで途切れていた。

魔獣から人々を救った後、どうなったのかがわからない。平和が訪れたのか、それとも戦いが続いたのか。

人々を救った……と聞こえたから、戦いそのものは終わったのだろう。

私は以前にユークリスから聞いた月の守護者の話を思い返す。月の守護者は、王の子供である双子の片割れだったという。

今見た記憶が事実なら、この後に王と月の守護者は、政権をかけて争うことになる。

「影の守護者の名前が出てこなかったのも気になるな」

「そうね。私たちは同じ日に力を開花させたのだから、月の守護者の誕生と同じ時期じゃないかしら」

「かもしれないな。できれば続きを見たいが……」

「無理そうね」

私はそっと、壊れた石板に手を触れてみる。当然のように何も起こらない。まばゆい光が放たれることも、力が吸い取られることもない。

もはや石板から得られる情報は何もなさそうだ。

ただ、十分な手掛かりを教えてもらっている。守護者誕生のこと以外にもう一つ、私はとある名前に注目した。

「これからどうするか……」

「手掛かりならあったわよ。ディル、貴女にも教えたはずよ？　シオリアが名乗ったもう一つの名前を」

「もう一つ……ああ、そうか」

ディルが遅れて気づき、両目を大きく見開く。

シオリアは自身を人間であり、魔獣でもあると言っていた。その時に名乗った名前が、ついさっき見せられた記憶にも登場している。

人類を脅かした原初の魔獣、六体の名前。

セラフ、ヴィクトル、ハリスト、ラファイ、ルフス、そして——

「アギア。その名前があったはずよ」

「覚えているさ。まさか、初代たちが倒した原初の魔獣と同一なのか？」

「わからないわね。名前が一緒ってだけかもしれない。けど、可能性はあると思っているわ」

人間が魔獣と化す。そんな事例は報告されていない。魔獣とは何なのか、その疑問に更なる難題を突き付けた。

研究者にとっては頭を悩ませる種かもしれないけど、私にとっては光明に他ならない。過去にない事例……原初の魔獣と戦った記憶。

それらが無関係とは、どうしても思えなかった。

ディルの横顔にも期待が浮かぶ。

「もしも、シオリアと原初の魔獣に繋がりがあるのであれば……」

「ええ、直接聞くことができるわね。当時の様子を、魔獣とは何なのか、私たちが持つ異能とは何なのか、その答えに一番近い存在よ」

もちろん、知っているとは限らない。

原初の魔獣は王と六人の守護者に敗れ、倒されてしまっている。その後の記憶が残っていなければ、私たちが見た記憶以上の情報は得られないかもしれない。

でも、同一の魔獣であるのならば、現代まで生き続けた……もしくは長い年月をかけて復活したということになる。

その月日は、人間の時間を遥かに凌駕している。

些細なことだろうと、私たちが知らない何かを知っている可能性は高い。というより、もはやそこにかけるしかなくなっていた。

石板は砕け散り、読み取れる情報はもうない。得られたのは原初の魔獣の存在と、王と守護者が誕生した日のこと。

現代に残る守護者たちの異能は、全て一人の王から派生したという事実だけだ。ここから先に進むためには、新しい情報がいる。私たちの異能について知り、私はループを、ディルは不死の力について解明する。

遠回りしているようで、各々の目的に近づいている気がして、少しだけ興奮する。

そのためにも……。

「シオリアを捕まえて、聞きだすわよ」

「……いいのか？」

「何？　今さら怖気づいたとか言わないでよ」

「そうじゃなくて、一応彼女は……お前とあの子の母親だろ？」

ディルが心配した表情で私に問いかけてくる。この人はいつも……本当に甘いわね。

私は小さく微笑む。

「だからこそよ」

「セレネ……」

「身内の問題は、身内で決着をつけるわ」

そうしたいと思う。そうじゃなきゃ、私は堂々と前に進めない気がするから。

決意を胸に、燃え上がる闘志を一先ず抑え込んで、大きく深呼吸をする。それから私は、ユークリスに尋ねる。

「ユークリス、シオリアの動向は摑めていないの？」

「……」

彼はぼーっとしていた。

私の呼びかけにも無反応で、砕けた石板を見つめている。今度はディルが声をかける。

「ユークリス？」

「え、あ、なんですか？　兄さん」

「俺じゃなくてセレナが先に声をかけたんだが」

「そうだったんですね。すみません、ちょっと考え事をしていたので」

ユークリスはあどけない笑顔でそう答えた。何を考えていたのか尋ねると、彼は少し困った顔をして、壊れた石板をどうしようか悩んでいると答えた。

「そんなの放置でいいじゃない。どうせ私たち以外は存在も知らないわ」

「……ですね。中に人を入れるわけにもいきませんし」

「気にしたって仕方がないだろ。壊そうと思って壊したわけじゃないんだ」

「はい。気にしないことにします」

そう言ってユークリスは笑顔を見せる。悩みは解決されたのだろうか。

なんとなく、私は彼が別の何かを考えていた気がする。興味はあったけど、あえて聞くことはしなかった。

それより私は、一度無視された質問をユークリスに投げかける。

「シオリアの動向を知りたいのだけど」

「はい。シオリア・ヴィクセント……魔獣アギアに関しては、今のところ目立った情報が得られていません。王都中に騎士を派遣して捜索はしているのですが……」

「見つからないなら、王都の外に出ているのか。それとも潜伏しているのか」

「後者でしょうね。シオリアの狙いは私たち守護者よ。王都に守護者が集まっている以上、ここを離れるとは考えられないわ」

シオリアは今も王都のどこかに潜伏していて、私たち守護者の寝首をかく隙を窺(うかが)っている……と、私は予想している。

この話にディルも同意してくれた。

「最悪、他の魔獣の存在も考慮するべきだろうな。彼女が原初の魔獣と同一なら、他の魔獣も復活している可能性が高いだろうし」

「そうね。でも、今すぐに警戒する必要はないと思うわ」

「どうしてだ？」

「私たちをハメようとしたのが、シオリア一人だったからよ」

仮に他の魔獣たちが復活しているなら、それらと協力して私たちを襲えばよかった。そうしなかったのは、復活しているのが彼女だけか。魔獣同士で目的が異なっているのか。

どちらにしろ、協力できる状況ではなかったからだと予測できる。

「だから単独か」

「ええ。ただ、シオリアは魔獣を呼べるみたいだから、あれを単独と呼んでいいのかは知らないわ」

「あの程度の魔獣なら俺一人でなんとかできる」

「頼もしいわね。ちゃんと守ってもらう?」

「任せておけ。だからその前に……」

私とディルの思考は一致する。

相対した時の対策以前に、まずシオリアの居場所を見つけなければならない。

「王都内にいるとして、騎士たちに探させても見つからないとなると……相当上手く隠れているな」

「そうね。あの穴……」

魔獣を召喚した時に使っていた穴の中がどうなっているのか気になる。

もし、あの中に異空間が広がっていたら、そこに逃げ込まれたら見つけられない。ただ、穴を使った移動にも制限はあるはずだ。

そうでなければ、最初から無制限に魔獣を呼び出したり、私たちを異空間に閉じ込めて餓死させることだってできる。

物の出し入れには制限があって、私の影の中のように長くは滞在できない。移動先も、どこでも自由に行けるわけじゃない。

と、ここまで予想を立て、全て当たっているとするなら……。

「一つ、私に考えがあるわ」

「心当たりがあるのか?」

「いいえ、探す方法があるだけよ」

「教えてもらえるか?」

私はディルの言葉に応えるように、右手を足元にかざし、自身の影を意味深に広げる。

「影?」

「この影は私の一部よ。広げた影のかかっている場所なら、私は状況を把握できる。会話は聞こえないけど、姿なら見られるわ」

「その影を使って捜索する……か。悪くないが、無茶じゃないか? 王都は広い。確かに影を使えば普通は見えない場所も探せるが、すぐ勘づかれるぞ」

影は光を遮った背後にしか生まれない。その性質上、不自然に広がった影は自然にできたものではないとすぐわかる。

影の異能を知っている者なら、考えるまでもなく私を思い浮かべるでしょうね。シオリアは私の力を警戒しているはずだから、悟られれば歩いて探しているのと大差ない。

ディルの言いたいことはわかる。だから、その問題を解決する手段が一つだけある。

「私の影を、王都中に広げるわ。一気に」

「なっ……」

「そうすれば、逃げる暇なんて与えない。あの穴も、影で塞いでしまえば出入りはできなくなるわ。上手く影の中に取り込めたら、その時点で決着ね」

「いや、それこそ無茶だ！　言っただろ？　王都は広いんだ！」

ディルは何度も私に言う。

そんなことはわかっている。王都は広い。

いかに異能者といえど、無制限に力を行使できるわけじゃない。全力で走れば呼吸が乱れるように、異能にも限界がある。

強力な異能も、扱うのは生身の人間だから、人間の限界を超えられない。

もちろん、理解している。

「私一人じゃ無理よ。だから、協力してもらうわ」

「協力って、俺は駆けまわるくらいしかできないぞ？」

「貴方じゃないわ」

私の視線が見つめる方向に、ディルがようやく気づいてくれた。私が見ていたのはユークリス、この国の王様で、王の異能を宿す少年。

「そうか。王の異能には……」

「他の異能を強化する力があります」

ユークリスが自ら答えた。

その力を頼りに、私たちは以前魔獣と戦ったことがある。今回も、彼の力を借りるつもりだ。

「ですが、ボクの力にも限度があります。王都全域に力を広げるのは……」

「わかっているわ。だから、もう一人に手伝ってもらうのよ」

「もう一人？」

「誰のことだ？」

「いるじゃない。他人を強化する力を持った守護者が……」

この時、全員の頭には同じ人物が連想された。

王の異能以外で、他者を強化することができる守護者は一人だけ……影と対をなす異能、私の妹が宿す……太陽の力だ。

王都郊外にある古びた民家。世界最大の国家であり、その中心となる街には当然、使われていない建物はいくらでもある。
人が住まなくなって長い建物ほど、誰も気にすることはない。誰もいないことが当たり前で、そこにある景色の一部となる。
それ故に、隠れるのはもってこいの場所とも言えた。

「いい場所を見つけたわね。埃っぽいことを除けば……だけど」

潜伏しているシオリアが独り言を口にする。

彼女の発する言葉はシオリアのものであり、同時に魔獣アギアの意志でもある。二つの意識は融合し、新しい人格を形成していた。

もはや彼女はシオリアでもアギアでもなくなっている。

「ああ……もどかしいわ」

彼女のうちにあるのは、純粋な負の感情だった。愛する夫を奪われた恨みと、自身を裏切っていた夫への怒り。

どちらも押し殺し、胸の奥に隠していた感情だった。しかしソレイユという娘の誕生、セレネの出生が露見し、隠す必要がなくなったことで、秘めていた感情が爆発してしまった。

大きな音など立てず、静かに膨れ上がった負の感情は、魔獣アギアの意志を引き寄せた。

そうして彼女は、アギアの意志と力を宿す依代になった。

意志が融合し、人格が変わってしまっても、根っこにある恨みの感情は消えない。故に、彼女は静かに笑みをこぼして自身の影を見つめる。

「今度こそ……殺してあげる。セレネ」

「――だったらそっちから会いにきてほしかったわね」

「――!」

突然声が響く。

シオリアが気づいた時にはすでに、漆黒の影で部屋の床が覆われていた。影から黒い腕が伸びて、シオリアを摑み拘束する。

「っ、この！」

シオリアは力で無理やり振りほどき、咄嗟に影に覆われていない椅子の上に飛び乗った。

彼女は蠢く影を睨む。

「どうして……」

視線の先、影の中からセレネがゆっくりと姿を現す。

狭い廃墟の部屋の中で、憎き女の娘と向き合う。

「上手く逃げたわね。魔獣になって身体能力もあがっているのかしら？」

「……どうしてここがわかったの？」

彼女はすでに、騎士たちの捜索を三度退けている。彼女は魔獣を保管している異空間を持っていて、そこへ繋がる穴を生み出せる。

異空間は魔獣で埋め尽くされ、人間の身体で長く滞在することができない。半人半魔の彼女であっても、数分中にいる程度が限界だった。

そのわずかな時間を駆使し、捜索に来た騎士たちの眼をかいくぐっていたのだ。三度の捜索を退けた後、騎士たちの目はこの建物に向かなくなった。

それ故に安堵していた。もうこの場所が、捜索の対象になることはないと。

「考えが甘かったわね。答えはもう、見ているままよ」

「……影を使ったというの？」

「ええ。私は影の守護者よ？」

「……」

シオリアはニヤリと笑うセレネを不気味に感じる。

影の異能で生成された影を広げることで、周囲の状況を把握できるのだろうと推測する。しかしその方法でも、騎士たちより少し探索効率が上がる程度のはずだった。

彼女が広げられる影の量には限度がある。

「当たりをつけて探したのかしら？　だったら運がいいわね、セレネ」

「まさか。ここにいるなんて思わなかったわ。一度も来たことがない場所よ。騎士たちが捜索しても見つからない場所……私が予想できることはなかったわ」

「……だったら、どうやって探したの？　まさか、王都全域に影を広げたとでも――」

「正解よ」

セレネの返答にシオリアは衝撃を受け、両目を大きく見開き彼女を見る。

冗談のつもりで口にした言葉を、セレネは肯定した。王都全域に影を広げる……それができるということは、彼女の異能の圧倒的な強さの証明になる。

いいや、そんなはずはない。彼女にそこまでの力はない。当然、シオリアは信じない。

「嘘ね。不可能よ。王の傍で異能を使っても、そこまでの恩恵は得られないわ」

「よく知っているのね。けど、そこまで気づけてわからないのは間抜けだわ」

「……」

「わからないの？　自分の……娘のことでしょう？」

「――！」

驚くシオリアの前で、影の中からもう一人……現れる。

彼女たちは向かい合う。

「やっと見つけました……お母さま」

「……ソレイユ」

三者の接触から八時間前――

◆◆◆

「やります！」

事情を説明して、ソレイユの返事はハッキリとした肯定だった。予想はしていたけど、少しだけ驚いて私は尋ねる。

「本当にいいのね？」

「はい。私の力が……太陽の加護が必要なんですよね？」

「ええ」

王都のどこかにシオリアは潜伏している。

騎士たちが毎日探しても見つからない以上、普通の方法で隠れていない。もしくは普通は見つからないような場所があるのか。

どちらにしろ、このまま騎士たちに任せていても結果は出ない。

私が持つ影の異能は、自身の影が届く範囲を把握する力がある。この力を使って王都全域を一瞬で捜索する。

そのためには、王であるユークリスの力だけでは不足だった。守護者の異能の中で唯一、他者を強化することができる太陽の力がいる。

そう考えた私は、屋敷でソレイユに協力を仰いだ。

「わかっているのね？　シオリアを見つければ……戦いになるわ。そうなれば私は……あの人を、あの魔獣を殺すわよ」

「……はい。わかっています」

覚悟を試すように問いかけた私に、ソレイユは目を逸らすことなく返事をした。力強くまっすぐに私を見つめている。

覚悟はできている……と、私に伝えるように。だけど……震えているのもわかってしまう。

「協力するのは探すところまでよ。その後は、私が何とかするわ。ヴィクセント家の問題は、私が解決する」

「いえ、今度は私も一緒に戦います！」

「……本気？」

「はい」

「母親と本気で戦えるの？」

「……戦います。お姉さまもおっしゃったじゃないですか。これは……ヴィクセント家の、私たちの問題です」

ソレイユは手の震えを抑えるように、力いっぱいに拳を握り私にそう言った。まさしく覚悟を決めた言葉というものだろう。

「お姉さま一人に背負わせません。あの人は……私のお母さまですから」

「……そう」

優しい……甘い彼女がここまで言うのだから、これ以上何も言うことはない。

「足手まといにならないでね」

「はい！　あの時は守られてばかりでしたから、今度は私がお姉さまをお守りします！」

「……期待しているわ」

ソレイユとシオリア、本物の親子が視線を合わせる。親子の邂逅(かいこう)とは思えないほど冷たく、静かに見つめ合っている。

「……そういうことね。ソレイユ、貴女がセレネに協力したの？」

「はい。私の異能で、お姉さまの力を強くしました」

「そう。王の異能に太陽の加護……確かに二つ合わせれば、一瞬だけ影を広げることはできそうね。油断したわ。まさか貴女たちが協力するなんて……本物の姉妹でもないのに」

シオリアはニヤリと不気味な笑みを浮かべ、私たちのことを煽る。ビクッと反応するソレイユを庇うように、私は一歩前へと出る。

「そうね。だから、私は貴女のことを母親だなんて思っていないわ」

「奇遇ね。私も、貴女のことを娘だなんて思ったことはないわ」

シオリアの視線が私に集中する。

一触即発の空気の中、静寂が数秒続く。私は部屋全体に影を広げ、いつでも攻撃できる体勢を取っていた。シオリアがどう動こうと対応できる。

その自信の虚を突くように、シオリアは笑みを浮かべる。

「私に集中しすぎよ」

「――⁉」

突如、建物が倒壊する。

自然に倒れたわけではもちろんない。建物はタコ魔獣の足によって薙ぎ払い、破壊されてしまっていた。

私は咄嗟にソレイユと自分を影の中に移動させ、倒壊によるダメージを回避する。

影から出た私とソレイユは、タコ魔獣の足を穴から召喚したシオリアと再び向かい合う。

「外にその穴を展開させていたのね」

「ええ、ビックリしたかしら？」

「そうね。視覚の外でも使えるとは思っていなかったわ」

周囲を壁に閉ざされた室内で、見えないはずの外で能力を展開させた。シオリアの能力は、物体の出し入れという点は私の影と似ている。

だけど明らかに別物だ。

私の影の中は、一時的な移動には使えても、ものを保管したり、自由に取り出すことはできない。

一度呑み込めば最後、永遠に続く闇の中で彷徨う。私でさえ、長時間影の中に潜っていると、最悪出口を見失う。

「便利なのよ。この力……」

「そうみたいね。けど、一つ理解できないわ」

「あら、何かしら？」

私はゆっくりと、彼女の背後でうねるタコ魔獣の足を指さす。

「その足……なんでそこから出ているの？」

「変なことを聞くのね」

「変なのはそっちよ。どうして、自分の身体の一部をそんな穴から出しているのかしら？」

「――！　セレネ、貴女……知っているの？」

ニヤついていたシオリアの表情が険しくなる。

反対に私は笑みを浮かべた。

「何を警戒しているの？　自分から教えてくれたじゃない。貴女は……魔獣アギアだってことを」

その名は、原初の魔獣の一柱。

王と守護者を誕生させた理由であり、彼らにとって討伐された魔獣の祖とも呼べる存在。そのうちの一体であるアギアは、巨大なタコの見た目をした魔獣だった。

私はすでに、その光景を見ている。

砕けた石板が、私に過去の記憶を見せてくれた。その中に、アギアの姿もあった。

「自分の身体の一部をそんな形で出しているってことは、その穴は貴女自身の体内にでも繋がっているのかしら？　それとも、特殊な方法で本当の自分を召喚しているの？」

「……私の正体に気づいている口ぶりね」

「そう言っているのよ。原初の魔獣アギア。大昔に滅ぼされた貴女が、どうして現代に残っているのか教えてもらおうかしら」

「……ふふっ、面白い子ね」

笑みと同時にシオリアはタコ足を操り、私とソレイユを攻撃する。タコ足が二本同時に頭上からたたきつけるように倒れてくる。

私は影を操りドームを生成、そこにソレイユが太陽の異能で光の影を作り、二重の結界を展開して防御した。

「私も少しだけ興味が湧いたわ。貴女がどうして私のことを知っているのか……その理由を先に教えてくれたら、教えてあげてもいいわよ」

「嫌よ。貴女が一方的に答えなさい」

「……生意気な子。本当に……憎たらしい」

あふれんばかりの殺意を私に向ける。隣にいるソレイユが恐怖するほどの殺気だ。彼女が本気で、私を殺すつもりでいるのは明白だった。

そっちのほうが私は戦いやすい。目の前にいるのはただの魔獣、敵だと認識して、躊躇(ちゅうちょ)なく攻撃できるから。

「影よ。貫け」

私は足元の影を操り、鋭く細い棘(とげ)を無数に生成してシオリアを攻撃する。シオリアはタコ足で壁を作り、私の攻撃を受け止める。

突き刺さったタコ足からは、紫色の液体が流れる。魔獣らしく、気持ち悪い血の色だ。

「答える気がないならいいわ。動けなくなるまで痛めつけて、話す気にさせてあげる」

「いい案ね。私もそうさせてもらうわよ」

タコ足はうねり、刺さっていた影の棘を粉々にへし折る。流れ出た血は地面を溶かし、傷口は瞬時に再生していた。

血液は毒で、タコ足には高い再生能力が備わっている。ただし、本体であるシオリアはそうじゃないはずだ。

タコ足と同じように再生できるなら、わざわざ防御したりしないから。

「ねぇセレネ、他の子たちはどうしたの？」

シオリアは視線を周囲に向け、私とソレイユ以外を探している。

私は小さく笑みを浮かべて言う。

「探してもいないわよ」

「あら？　まさか貴女たちだけで私の相手をするつもり？」

「そうです。お母さま」

「ふふっ、わかりやすい嘘ね」

シオリアは信じない。だけど事実だ。

本件を知っているのは王国でも限られた人物のみ。アレクセイとゴルドフは、国王の護衛についている。

シオリアの狙いが守護者であるなら、王であるユークリスが狙われる可能性もある。王を失った場合の守護者への影響は未知数だ。

それ故に、最優先で守るべき対象はユークリスだと判断した。そして、ディルにも同様の役割を請け負ってもらっている。

もっとも彼の場合、守る対象はユークリスだけではなく、アレクセイとゴルドフも含まれる。

「もう一人の異能者もいないみたいね。どんな異能なのか楽しみにしていたのに、残念だわ」

ディルのことね。

原初の魔獣である彼女でも、月の守護者の記憶は持っていない？

そうだとしたら、彼女からあの石板以上の情報は得られなさそうね……。

私は小さくため息をこぼす。すると、それを見ていたシオリアが笑みを浮かべて言う。

「何を落胆しているの？　ガッカリしているのは私よ。まさか、たった二人で私を倒せると思われているなんて……心外だわ」

シオリアの表情に怒りの感情が浮かび上がる。

笑顔は崩さず、静かに怒りと殺意を混ぜ合わせた視線で私たちを睨む。

「後悔するわよ」

「それはこっちのセリフだわ。あの時と、同じだと思わないほうがいいわよ」

私はソレイユに視線を一瞬だけ向ける。アイコンタクトで意思を理解し、ソレイユがこくりと頷いた。

私は右手をシオリアにかざし、周囲の影を操って漆黒の刃を無数に生成する。無数の刃の切っ先は全てシオリアに向き、一斉に彼女へ襲い掛かる。

「無駄よ。そんな攻撃、私には届かな――!?」

一撃目と同様に、シオリアはタコ足で防御しようと試みる。しかし、影の刃はタコ足の防御を容易く貫き、守られた本体へと届く。

彼女は間一髪、身をかがめて回避することで直撃を防いだ。シオリアの頬からはツーと赤い血が流れ落ちる。

私は笑みを浮かべ、シオリアを挑発する。

「意外ね。貴女の血も紫色かと思ったわ」

「……」

シオリアがじっと私のことを睨んでいる。

「理解できないかしら?」

「……そう。一撃目は全力じゃなかったのね」

シオリアはようやく気づいたらしい。そう、一度目の攻撃はわざと威力を下げていた。油断させ、二撃目を当てるために。

私の身体は今、太陽の加護によって強化されている。それにより影の異能の力は強化され、普段の数十倍の量、密度、速度で操ることができる。

まるで、太陽の輝きに呼応して、影がより濃くなっていくように。

本当は二撃目で決着させるつもりだったけど、さすがに簡単じゃないわね。

シオリアは魔獣と化すことで身体能力も向上している。普通の人間が反応できない速度に、彼女の身体は追いついてくる。

「次はもっと速くするわ」

「危険ね。なら先にソレイユから殺してあげましょう」

シオリアは地面に穴を生成し、そこから異なる種類の魔獣を呼び出す。数の力で圧倒し、私とソレイユを分断するつもりらしい。

ソレイユが死ねば、私にかけられた加護も消失する。

「悪くない判断ね。けど……」

母親の癖にわかっていないみたいね。娘の……覚悟を。

「太陽の炎よ！」

ソレイユの頭上に生成された小さな太陽。太陽は燃え上がり、無数の炎の玉が発射され、一瞬にして呼び出された魔獣たちを鎮圧する。

これにはシオリアも目を丸くして驚いていた。太陽の異能に驚いたというより、ソレイユが迷いなく攻撃したことに驚いているように見える。

「ソレイユ……」

「お母さま、私は守られるために来たわけじゃありません。お姉さまと一緒に、戦うためにここへ来たんです！」

ソレイユは力強い言葉で、覚悟をシオリアに宣言する。

それを聞いたシオリアはニタっと不気味な笑みを浮かべ、ソレイユに尋ねる。

「悲しいわね……ソレイユ、貴女に私が殺せるの？」

「っ……」

「無理でしょう？　貴女は優しすぎるわ。たとえ私が怪物だと知っても、必ず躊躇(ちゅうちょ)する。覚悟は揺らぐわ」

「……それでも、戦います」

ソレイユは震える手を力いっぱい握りしめる。

本当に、シオリアはわかっていない。自身の娘のことを何一つ理解していない。甘すぎるほど優しいソレイユが、自らの意志でこの場に立っている。

その時点でどれほどの覚悟を胸に抱いているのか……わからないんだ。

母親のくせに、ソレイユを見ていない。

「滑稽だわ」

「それは貴女よ、セレネ。ヴィクセント家の当主になれてさぞ楽しそうね。よかったじゃない。影の異能に目覚めなかったら、貴女は一生慰み者だったわよ」

「どうかしら？　案外快適だったかもしれないわ。貴女みたいに、私から逃げてくれれば」

「……本当に憎たらしい目ね。彼女にそっくりだわ」

シオリアは静かに怒る。彼女はどうやら、私の母親と面識があるらしい。

「容姿も、声も、目上を相手に物怖じしない態度も……よく似ているわね」

私は母親によく似ているらしい。正直、少しだけ気になった。私は自分の母親の顔すら見たことがなくて、どんな人物か知らない。

シオリアが知っている私の母親のことを、もう少し聞いていたいと思った。だけど、残念ながら時間がない。

「憎たらしい。忌々しい……だから、消えてちょうだい」

シオリアは全てのタコ足を一斉に動かし、じたばたと地面を破壊するようにうねらせる。破壊されていく周囲の建物。

ここが廃墟ばかりで人が住んでいない地域でよかったわ。深夜で、市街地から離れていると言っても、これだけ暴れれば誰かが気づく。

見物人が増えれば戦い辛（づら）くなる。その前に決着をつけなければいけない。

二度の攻撃で、シオリアは完全に私を警戒している。もう簡単には攻撃を当てられない。私たちはソレイユの太陽の光で身を守っている。

「ソレイユ、わかっているわね？」

「……はい！」

「――次の攻撃で決めるわよ」

ソレイユが結界に穴を空け、私が一人だけ飛び出す。

唸（うな）り暴れるタコ足をかいくぐり、本体であるシオリアの元へ向かう。影を広げれば遠距離から攻撃はできるけど、広げるほどに強度と威力が下がってしまう。

シオリアを仕留めるには、できるだけ距離をつめてから、最大の一撃を繰り出すしかない。

「近づかせないわよ」

「っ……」

タコ足が横方向に動き、地面を削るように薙ぎ払いを繰り出す。私は影の中に潜り、その攻撃を回避してからシオリアの背後の影に移動する。

「わかっているわよ」

しかし、移動先をシオリアに予測されてしまう。飛び出すタイミングに合わせてタコ足が一斉に襲い掛かる。

「お姉さま！」

「……やるじゃない。咄嗟に潜り直したのね」

「はぁ……ふぅ……」

私はシオリアから離れた瓦礫（がれき）の影から顔を出す。間一髪、攻撃が当たる直前に影の中に潜って回避することができた。とはいっても不完全。

額にかすり、血が額から頬へ流れ落ちていく。

「わかってきたわ。影を操っている間は、影の中に潜れないのね」

「……」

「わざわざ近寄ろうとしてくるのも、影は広げるほど威力が下がるから、かしら？」

「どうかしらね」

たかだか数分の戦闘で、私の影の異能について理解を深めている。私たちの異能は強力だけど、力に法則は存在する。

私の操る影には実体があって、シオリアはそれを見抜いていた。さっきから戦闘中、彼女の足元に影を広げて、彼女を影の中に引きずり込もうと画策しているのだけど……。

その手前でタコ足に阻まれてしまう。

私たちの異能は見せるほど慣れられて、対処されやすい。

「ようやく見えてきたわ。貴女の底が……」

「舐（な）めないで」

もう終わった気でいるシオリアに、私は両手をかざす。確かに広げるほど威力が下がるけど、今は太陽の加護もある。

王都中に広げられる影を一瞬だけ作り出し、それをこの狭いエリアに凝縮すれば——

「全ての影よ！　締まり、貫きなさい！」

シオリアに届くだけの威力を維持して、全方位から攻撃することはできる。

彼女に邪魔されるエリアを除き、崩れた建物のがれきや残っている壁、さらには空中にまで影を広げ、四方八方から影の刃をシオリアに向けて放つ。

タイミング的に回避は間に合わない。必然、シオリアはタコ足の半数を防御に固め、半数は薙ぎ払い放たれた影の刃を撃ち落とす。

一瞬の攻防で、土煙が立ち上る。

「はぁ……」

「——悪くはなかったわよ」

「——！」

土煙が晴れた先で、シオリアは立っていた。

防御に使ったタコ足は切り刻まれ、大量の血が流れている。ただしシオリアは、傷こそ負っているが致命傷は受けていない。

致命傷になり得る攻撃は予め(あらかじ)タコ足で弾き(はじ)、残りを防御したのだろう。

「今の攻撃は驚いたわ。けど、そう何度もできないでしょう？」

「……ふぅ……」

「随分とお疲れね。無茶はしないほうがいいわよ」

ズタボロにされたタコ足が再生を始める。シオリアの言う通り、今の大規模攻撃は連発できない。

すでに二度、王都中に広がる影を操ったようなものだ。疲労は蓄積し、呼吸は速く、浅くなっていく。

だけど、今の攻撃で彼女は意識する。

私がその気になれば、自身を殺せるだけの影を操れることに。笑みを浮かべながら、あと何回同じ攻撃ができるか考えているはずだ。

彼女の頭の中は、私のことでいっぱいになっている。

もう、見てすらいない。私たちは一人で戦っているわけじゃない。私が目の前にいるから、自身の背後に伸びる影にも、意識は向いていない。

「今よ……ソレイユ」

「――はい！」

ソレイユが影を通り、シオリアの背後に現れる。

咄嗟に振り返るシオリアは驚愕(きょうがく)する。そんな彼女に向けて、ソレイユは拳を握りしめて、思いっきり殴る。

「ごめんなさい……お母さま！」

「ぐっ……」

ソレイユの拳には太陽の輝きが宿っていた。殴られたシオリアは吹き飛び、その身体は太陽の炎に包まれる。

「ぐああああああああああああああああああああああ」

悲鳴を上げるシオリアは、炎を振り払おうとジタバタ暴れる。と同時に、彼女が操っていたタコ足も炎で包まれる。

やっぱりあのタコ足はシオリアの……いえ、アギアの身体の一部で間違いなさそうね。

本体であるシオリアと、操っているタコ足は繋がっている。あの穴に通じる異次元が、彼女の身体の中に存在する。

「くっ、ソレイユ貴女……」

「お母さま」

実の娘に向かって憎悪をむき出しにするシオリアは、燃えながらもタコ足を操り、ソレイユを攻撃しようとする。

怒りの執念はさすがだけど、もう彼女は忘れている。目の前のことしか見えていない。まるで、生まれて間もない赤子のように。

彼女は忘れている。自分が口にした言葉すら……。

「貴女を殺せるのは、私よ」

「なっ、あ……」

ソレイユは優しい。だから、実の母親を本気で殺すことはできない。その一点だけは、シオリアは見抜けていた。

怒りに身を任せ、私から意識を逸らさなければ躱せたでしょうけど……。

「終わりよ、お義母様」

「セレ……ネ……」

私が操る影の刃が、シオリアの心臓を貫いた。

パキッ――

私の影は心臓と一緒に、彼女の中にある何かを砕いた。

世界は平和になった。

原初の魔獣は王と守護者たちに倒され、人類国家は一つに統一され繁栄を築いた。多くの命が生まれ、皆が幸せを掴んだ。

しかし、それは目に見える一面に過ぎなかった。

原初の魔獣という共通の敵を失った六人の守護者たちは、自らの地位と力におぼれて権力争いをするようになってしまった。

次なる王になろうと画策する者もいれば、王に取り入り、他の守護者よりも一つ上の権力を手に入れようとする者もいた。

王は彼らの行動、考え方に頭を悩ませていた。


魔獣はいなくなった。

世界は平和になったのに、どうして……人同士で争うのか。


王の悩みに呼応するように、再び魔獣は現れた。原初の魔獣のように強大な力を持つ個体ではなく、肉食動物の延長のような生物から、原初に届きはしないものの、強い力を持つ個体まで。

この日を境に、世界から魔獣が消えた日は存在しない。

人々は身近な恐怖を思い出し、守護者たちは再び結束し戦った。

王の名のもとに戦い、魔獣と戦うための騎士団を立て、異能を持つ者以外でも、魔獣と戦える体制を作り上げた。

そうして時は流れ、世代が変わる。

王は当時の太陽の守護者だった女性を妻に娶(めと)り、その間に子供を儲けた。初めての子供は双子の兄弟だった。

さらにその一年後、新たに二人の間には子供が生まれる。その子供もまた双子……今度は姉妹だった。

小さな派閥争いは起こっているものの、王国の状況は安定していた。王も子宝に恵まれ、妻と一緒に幸せな日々を過ごしていた。

王はもう一つ、安堵(あんど)していたことがある。

異能により力を得て、権力におぼれてしまった守護者たちも、世代が変わり、異能がなくなればただの人となるだろう。

現在も続いている派閥争いは、続いたとしても人の力の範疇(はんちゅう)に収まる。

そうなれば、今は萎縮している者たちも気づくはずだ。異能による支配など起こらない。この国は、人間の国なのだと。

だが、王の願いは叶(かな)わなかった。

否、願ったのは王ではなく、そこに暮らす人々である。

彼らは思ったのだろう。今も消えることのない魔獣の恐怖から、安息を得るために。戦える力を、自分以外の誰かが持っていてほしいと。

そうして、異能は親から子へと受け継がれる。

私の脳内に、かつての記憶が流れる。

あの時と同じだ。時間にして、わずか数秒の出来事だったのだろう。私は一瞬だけぼーっとして、すぐに我に返った。

目の前で心臓を破壊され、倒れ込むシオリアに、ソレイユが涙目になって駆け寄る。

「お母さま！」

「ぐっ……う……ソレ……イユ？」

「お母さ――」

倒れたシオリアの傍らに近づこうとしたソレイユは、ギリギリのところで踏みとどまる。感情を制御するように、理性が制止したのだろう。

目の前にいる彼女が、シオリアではなく魔獣アギアだという事実が。

「大丈夫、魔獣は死んだわ」

「お姉さま……？」

さっき、心臓と一緒に別の何かを砕いた感覚があった。おそらくあれが、魔獣アギアの魂……魔獣としての核だったのだろう。

魔獣アギアは消滅している。現に、倒れているシオリアからは魔獣の力を感じない。今、ここに倒れているのは……。

「貴女の母親よ、ソレイユ」

「うっ、お母さま……お母さま！」

ずっと我慢していたのだろう。ソレイユは子供みたいに涙を流し、ぐちゃぐちゃになった顔を気にもせず、母親の傍らにしゃがみこんだ。

シオリアは口から血を流し、貫かれた心臓を右手で押さえている。当然、そんなことで傷が治ったりはしない。

魔獣アギアと一緒に、シオリアは死んでしまう。お父様の時と同じように、私たちの異能には、他人の傷を癒す力はないのだから。

「ソレイユ……ごめんな、さい……」

「お母さま？」

「私が……弱かった……せいで……辛い思いを……させてしまって」

「う、うぅ……」

シオリアはゆっくりと、涙を流すソレイユに手を伸ばす。もう身体を動かすことだって辛いはずなのに、笑顔を見せて……。

同じ人物の笑顔なのに、今は不気味さを感じない。あれは魔獣が見せていた笑顔で、本当の彼女はこんな風に笑うのだと実感する。

「セレネ……貴女にも……迷惑をかけたわね」

「そうね、お義母様」

「……こんな私を……まだ義母と呼んでくれるの？」

「別に、今さら他の呼び方にする気も起きないだけよ。ただ、一つだけ聞かせて」

この人を義母と呼ぶかは、この質問の答え次第かもしれない。

「さっきまでの貴女は、どっちなの？　魔獣だったの？　それとも……」

「どちらでも……あるわ。私はいたし、魔獣もいた……どちらも……混ざり合っていたの」

「……そう」

これで疑問が一つ解消された。今までの彼女は、魔獣に肉体を乗っ取られていたような状態で、意識は融合していた。

これまでの発言には、彼女の意志と魔獣の意志が混在している。数々の矛盾を感じる行動や発言は、魔獣とシオリアの意志が反発し合った結果なのだろう。

そうだとしたら、簡単に殺せるのに殺さず、回りくどい方法ばかりを選択したのは……。

「やっぱり、お義母様に違いないわね」

「セレネ……」

形はどうあれ、彼女は私にとってもう一人の母親であることは事実だ。認める認めないの話じゃない。そういうものだから……私は義母と呼ぶ。

「優しい……わね。そういう……不器用な優しさは、あの人にそっくりだわ」

「あの人って？」

「ラルド……貴女のお父さんよ」

「……」

あの人と私が似ている……不器用なやさしさ、か。

昔の私なら、きっと皮肉を言って否定していたでしょうけど、あの人の遺言を聞いた今は、悔しいけど納得できてしまう。

優しいかどうかは別として、不器用なところがあるのは……確かに似ている。

「お義母様、どうしてアギアの意志が宿っていたの？」

「わからないわ……気がつけば、声が聞こえるようになっていたの」

「声？」

「ええ……たぶん、アギアの声……私に何かを囁きかけてきて……それに、私は答えてしまったのだと思う」

シオリアの話は抽象的で、理解しがたい部分もあった。

どんな声だったのか、何を言われたのかは覚えていないらしい。ただ、聞こえるようになった時期はハッキリと覚えていて、それが私の出自が露見した日だったという。

「あの時……私は思ってしまった。裏切られた……と」

「それは事実でしょう？」

「……貴族が愛人を持つことなんて普通よ。頭では理解していても、気持ちが追い付かなかった……私の弱さよ」

「違います！　それは……お母さまがそれだけ、お父さまを愛していたからです」

ソレイユは涙を流しながら言う。私には愛とか恋とか、そういう感情は縁遠くてわからない。けれど尊いものだとは思う。

「ええ……愛していたわ……誰よりも……だから、認めたくなかったのね。自分以外に……あの人の心に近づく人がいることを」

彼女は自分の気持ちを振り返り、理解したように優しく笑みをこぼす。その弱さに、魔獣アギアはつけ込み、依代にしたのかもしれない、と。

「どうして、今になって魔獣は復活したのかわかる？」

「ごめんなさい……私にもわからないわ」

「そう……」

なぜ今になって魔獣が復活したのかは、一緒になっていた彼女にもわからないみたいだ。もしかしたら、もう考えられないのかもしれない。

地面に流れ出る血の量は、とっくの昔に血溜まりができるほどに至る。意識を保っていることが奇跡だろう。

魔獣は死んでも、その生命力の一部が残されているのだろうか。もっとも、それも直に限界が来てしまう。

「ぐっ、う……」

「お母さま！」

「……ごめん……なさい……もう、長く……」

「そんな……お母さま、私……」

涙を流すソレイユの手を、弱々しいシオリアの手が握る。

「大丈夫……よ。貴女は強い子……これからは、自分でよく考えて生きなさい。貴女が選ぶことなら、きっと間違っていないわ」

「うぅ、お母さま……」

「迷ったら、頼れるお姉さんに聞けばいいのよ」

「……はい！」

「勝手にそんな約束……まぁいいわ。最後のお願いくらい聞いてあげる」

お父様の遺言と一緒に、それくらいはしてあげてもいい。今はそう思える。そう答えた私に、シオリアは微笑む。

「ありがとう……セレネ、最期に伝えておくことがあるわ」

「何かしら？」

「貴女の……母親は……生きている」

「え……」

今、なんて……？

「私も……ハッキリとはわからない。死んだと……思っていたの。けど……生きてる。生き返ったのかも……しれない」

「どういうこと？　生き返った？」

私は取り乱す。

予想していなかった情報に、脳が追い付いていない。

「私と……同じ……」

「お母さま！」

最後の言葉は発せられず、シオリアは静かに息を引き取った。

瞳は開いたまま瞳孔が開き、呼吸運動も止まっている。人が亡くなる瞬間は、この世で最も切ない時間が流れる。

新たな情報に戸惑っていた心も、動かなくなったシオリアを目の前にして、すっと落ち着きを取り戻した。

彼女の遺体から流れ出る血の量が物語る。いつ切れてもおかしくない細い意識の糸を、彼女はこんなにも長く繋ぎ留めてくれた。

私やソレイユに、最後の言葉を残すために。

「ありがとう、お義母様」

私は、シオリアのことが好きじゃなかった。嫌われていると思っていたから……。

お父様も、お義母様もずるいわよ。

最期の最後に、嫌いじゃなかったって思わせてくるなんて。

今さら何を感じても、もう遅いというのに。

「お母さま……」

「……殺したのは私よ。恨んでくれてもいいわ」

「そんなこと、できるわけありません」

ソレイユは涙を拭い、シオリアの開いた瞳をそっと閉じてあげる。

「これは私が望んだことです。だから、お姉さまだけの責任じゃありません」

「……そう」

強くなったわね、ソレイユ。

母親を殺したという罪を、私たちは一生背負い続けることになる。今ならまだ、全部私のせいにして逃げてもよかったのに。

選べたのに、そうしなかった彼女の心は、優しいだけじゃなくて強かった。

「なら、私たちも共犯ね」

「……はい。一緒です」

私たちは姉妹だ。

母親は違う人だけど、過ごしてきた時間は一緒で……似ているところも、探せばいくつかあるかもしれない。

気にしたことなんて一度もなかった。だけど今は、少しだけ考えさせられる。姉として、妹に何をしてあげられるのか……を。

今はまだ、わからないけど……。

もしも彼女が人生に困った時は、助けになる言葉の一つでもかけられたらいいいな。

第五章
ただの怪物

原初の魔獣たちは、意識の奥底で繋（つな）がっている。

彼らは互いの位置や情報をリアルタイムで観測し合っている。それ故に、遠く離れた地で勃発した戦いも、その顛末（てんまつ）も伝わっていた。

とある古びた屋敷に、男女の一組が座っている。男は貴族の当主が座るような大きな一人用の椅子に腰かけ、割れた窓から外を見ている。

女は汚れたソファーに座り、男のほうに視線を向ける。

「気づいたかしら？」

「ああ。アギアがやられたみたいだな」

「そうみたいね」

彼らの中にもシオリアと同じように、原初の魔獣の意志が宿っている。彼らはアギアの死を感じ取っていた。

ただ死を知るだけではなく、彼らはアギアが死に際に体験した光景を記憶することができる。

「太陽に……影の異能か。俺たちの時代にはなかった異能だ」

「ええ……」

「どうかしたか？」

「ふふっ、なんでもないわ」

男は訝しみ、女は笑みを浮かべる。

その笑みは月明かりに照らされ、不気味というよりも妖艶だった。淡い白がわずかに紫がかり、長い癖のある髪をなびかせる。

その容姿が、見せた笑みがセレネに似ていた。

「数奇な運命ね……セレネ」

「――以上が、今回の騒動と顛末についてよ」

守護者と王が一室に集まり、長い机を挟んで向かい合う。その場で私は、彼らに向けてここ数日に起こったことを説明した。

人間が魔獣と化す……正確には、かつて存在した強大な魔獣が、現代に人間を依代として蘇ってしまった。

その一人が、私の義母でありソレイユの実の母親だった。

「そっちも驚きだけど、僕は太陽の守護者が生まれたことにも驚いたなー」

そう言いながら、大気の守護者ロレンスがソレイユに視線を向ける。前回の魔獣退治前の会議に

は参加しなかったソレイユも、異能を発現したことで今回から同席している。私の隣の席に座り、緊張しているところでロレンスの発言だ。

ソレイユはビクッと身体を震わせ、ロレンスに愛想笑いをする。

「黙っていて申し訳ありませんでした」

「いいよいいよ別に！　僕は驚いただけだからね」

そう言いながらニコニコするロレンスに、ソレイユは反応に困っていた。彼の飄々(ひょうひょう)とした態度は相変わらずだ。

彼のことだし、ソレイユが異能もずっと前から使えたことにも気づいていたかもしれない。

「でもよかったね。姉妹仲よく異能に目覚めて！　これでお互いの距離も縮まるんじゃない？」

「ロレンス、お前は少し静かにしていろ」

「あ、はい。ごめんなさい」

調子に乗ってペラペラしゃべっていたロレンスだったけど、ゴルドフの低い声に止められて、しょぼんと縮こまる。

空気の読めないロレンスと違って、ゴルドフは私とソレイユの心を気遣ってくれているように見えた。アレクセイもいつもより静かだ。

ゴルドフが私とソレイユに視線を向ける。

「先の戦い、二人に任せてしまって申し訳なかった」

「気にする必要はありません。私たちは、私たちの意志で戦っただけですので」

「……そうか、強いのだな」

「私だけじゃありませんよ？」

「ああ。ソレイユ・ヴィクセント殿」

ゴルドフはソレイユに視線を向け、軽く頭を下げる。

「此度の戦い、騎士団を代表して感謝する。そして、同じ守護者として今後も王国のため、人々のために尽力して行こう」

「はい！　若輩者ですが頑張ります」

ソレイユは太陽のように笑顔を見せ、ゴルドフも微笑む。実の母を亡くして二日しか経過していない。心の傷は癒えていなくとも、他人に弱さを見せないように笑顔を作る。

それができるのは、心が強い者だけだ。

ゴルドフは見かけによらず強い心を持ったソレイユに、深く頭を下げ直して感謝を伝えた。

あの日、ゴルドフとアレクセイには王であるユークリスの護衛を担当してもらっていた。狙いが守護者であるなら、王も命を狙われる可能性があった。

原初の魔獣はアギア以外に五体存在している。もし、それらも復活しているのなら……と警戒したけど、今回は何事もなかったそうだ。

しかし私は、予感ではなく確信をもってこう考えている。

「残りの原初の魔獣も、現代に蘇っていると考えるべきだと、私は思っているわ」

「俺も同感だね。偶然一体だけ蘇りました。なんて、単純な話じゃないと思う。何せただの魔獣じゃない。人間を依代にするような魔獣だ」

アレクセイが私の発言にいち早く同意した。ゴルドフもそれに頷き、他の面々もそれぞれに肯定的な反応を見せる。

彼らも感じ取っているのかもしれない。異能を宿す者として、見えない恐怖が迫っていることに。

ゴルドフはエトワールに尋ねる。

「ウエルデン卿、星読みはどうだったのだ?」

「残念ながら、今のところ何も」

「そうか」

星の守護者の異能は、未来を見通す星読みという力だ。エトワールは自身に起こる悲劇や不運を予め見て知ることができる。

非常に強力な異能ではあるけど、自身の周囲で起こることでなければ見ることができない。遠い未来は分岐するため不確定で、見た未来と違う道をたどることもある。

他にも細かな制約があるものの、王国に強大な影響をもたらす災害級魔獣の襲撃も、エトワールからの情報を元に予知できていた。

今回何も見えなかったということは、少なくとも彼の周りで何かが起こるわけじゃなく、王や守護者たちの身に悲劇が起こるわけじゃないということ……。

もしくは、私にだけ何かが起こるかもしれない。彼の異能の唯一の例外として、私の姿は未来視には映らないから。

エトワールの視線が、一瞬だけ私に向いたことに気づく。

「……」

どうやら本当に、私のせいで未来が見えなかったのかもしれないわね。だとしたら、シオリアが最後に言い残したセリフは……。

考えながら、私はゴルドフに尋ねる。

「騎士団のほうで何か情報はないのかしら？」

「それなんだが、セレネ殿が言っていた六体の魔獣の名前について、少し気になることがある」

「教えてもらえる？」

今は少しでも情報がほしい。

私だけでなく、その場の全員がゴルドフに集中し、彼は一呼吸置いて答える。

「現在、騎士団では王国の人々を脅かす複数の組織を追っている。そのうちの一つに、近年勢力を増している盗賊団、明け色の雫がある。その団長と副団長の名前が……ヴィクトルとセラフという」

「ヴィクトル、セラフ……」

どちらも原初の魔獣の中にあった名前と同じだった。

ゴルドフは明け色の雫について、今のところわかっている情報を私たちに開示してくれた。

明け色の雫は二十年ほど前から王都近郊で活動している盗賊団の一つ。当時は数ある盗賊団の一つであり、さして脅威と呼べる一団ではなかった。

それが近年、勢力を拡大させている。構成人数が何十倍にも増え、盗みの規模も個人から組織、街へと大きくなっている。

今や王国トップの盗賊団となりつつあり、ゴルドフたち騎士団も動向を警戒していたらしい。

そんな彼らを束ねるトップと、ナンバーツーの名前が原初と同じ……。

「ただの偶然じゃないんですか？」

ロレンスが軽口でゴルドフに言う。するとゴルドフも、その可能性は高いのだが……と、あいまいな返事をした。

実際、名前が似ているだけということはありえる話だ。シオリアがそうだったように、魔獣の名前を名乗っているとは限らない。

ただ、今のところ他に有力な情報はなかった。

「その盗賊団はどこにいるの？」

「アジトは複数ある。我々も何度か討伐作戦を決行しているが、先に話した二人だけは捕まえられていない」

「次に討伐作戦をする予定は？」

「今回の話を受けて優先順位を引き上げるつもりでいる。早ければ十日後にも決行する。有力なアジトを一つ見つけた」

「そう。その作戦、私も参加するわ」

ゴルドフが眉をあげる。他の面々も、私の発言に驚いているような反応をしていた。ユークリスとソレイユ以外は。

「騎士団の作戦に協力してくれるというのか?」

「ええ、と言っても作戦の一部には組み込まないでほしいわ。私は独自の立場で動くつもりよ」

「……邪魔をしないなら構わないが……なぜだ?」

「決まっているわ。その二人が原初の魔獣なら、私も無関係ではないもの。降りかかる火の粉は、先に排除しておきたいのよ」

私とゴルドフは視線を合わせる。彼の視線から、それだけが理由かと疑問視する感情が透けて見えた。

もちろん、理由はそれだけじゃない。原初の魔獣アギアの核を砕いた時、過去の情報が頭に流れ込んできた。

確信はないけれど、魔獣たちは過去の記憶の一部を保管している。核を砕くことで獲得できるなら、他の守護者たちに渡すわけにはいかない。

それに……。

「一人目がヴィクセント家の人間だったのよ。それ以上に、私が関わろうとする理由がある?」

「……そうか。なら日程は追って伝える」

「感謝するわ。ボーテン卿」

「いや、礼を言うべきは本来こちらだ。騎士団に代わり、王国を守ってくれたこと、感謝する」

ゴルドフは私にも頭を下げた。

感謝なんてされる必要はないし、その資格もない。私は別に、国のために戦ったわけじゃない。

私はいつだって自分のために戦う。

シオリアの件だって、身内の問題だから率先して解決しに動いただけだ。今回も……。

会議が終わり、私は屋敷へと戻った。

執務室に入るとディルが待っていて、目を合わせて私に言う。

「お帰り。会議の様子はどうだった？」

「前と似たようなのなのよ。ゴルドフが中心になって話を進めていたわ。一言もしゃべっていない人もいたわね」

会議中、森の守護者ミストリア・フルシュは一言も発言していない。それに意味があるわけではなく、単に共有すべき事情がなかっただけだろう。

彼女は自身に、魔獣よりも重要な問題を抱えているから。

「ユークリスは？」

「変わらずよ。しばらくの間、ユークリスにはゴルドフとアレクセイが交代で護衛につくわ。それとエトワールは常に傍で控えるような態勢になったわね」

魔獣の目的は未だ完全にわかったわけじゃない。だからこそ、王であるユークリスの安全を何より確保すべきだという意見が会議であがった。

その結果が先に話した護衛の態勢だ。守護者の中でも戦闘能力の高い二人が傍につき、星読みができるエトワールが王の傍らに控えることで、悲劇を事前に防ぐことができる。

それを聞いたディルは、ホッと胸を撫でおろしたように呟く。

「そうか」

「安心したかしら？」

「ああ、少しな」

彼にとっても、ユークリスの安全は何より守りたいものだっただろう。本当なら自分が傍で守りたいけれど、立場上それはできない。

強さを知っている二人が傍にいてくれることは、ディルの心の安寧に繋がる。私にとってもそのほうがいい。

ディルにはこっちに集中してもらわないと困るわ。

「十日後、盗賊団のアジトに行くわよ」

「ん？　は？　どういうことだ？」

「魔獣の依代になっているかもしれない人間がいるの。騎士団が討伐作戦をするから、私たちもそれに便乗するわ」

「えっと、もう少し詳しく説明してくれ」

ディルはキョトンとした表情を私に見せる。さすがに駆け足で結論だけ伝えすぎた。私は一呼吸置いて、会議の内容を彼に全て説明した。

「そういうことか」

「ええ。もちろん貴方にも手伝ってもらうわよ?」

「それは構わないが、ソレイユは?」

「あの子は留守番よ」

ソレイユは一緒に行きたいと言ってくれたけど、さすがに盗賊団のアジトまで彼女を同行させる気にはなれなかった。

異能の力は強力でも、彼女自身はまだまだ弱い。シオリアの時とは違い、相手の情報もないまま戦闘になる可能性もある。

加えて、ソレイユが一緒だとディルが全力で戦えない。ソレイユとディル、どちらを選ぶかと問われたら、私は迷いなく後者を取る。

「それまでに可能なだけ情報を集めるわよ」

「わかった。なぁセレネ、少し焦っていないか?」

「――そう見える?」

「ああ。俺にはなんだか余裕がないように見えるぞ」

痛いところを突かれる。一緒にいる時間が長くなって、そういうところも見抜かれるようになってきたみたいね。

「別に焦っているわけじゃないわ。ただ、気になることがあるのよ」

「母親のことだろ?」

「……ええ」

ディルにも、シオリアが残した遺言のことを伝えてある。私が生まれた直後に亡くなったと聞かされていた母親……ニーナが生きている。

それだけなら非常に喜ばしいことだけど、シオリアが残した意味深な言葉は引っかかる。


——生き返ったのかも……しれない。

私と……同じ……。


ニーナは死んで、蘇ったのだとしたら……そんなこと、異能の力でも不可能だ。普通ならばありえない。だけどもし、この件に原初の魔獣が関係しているのだとしたら？

「早く確かめたいのよ。確かめて、事実なら……私がするべきことは決まってるわ」

「セレネ……」

シオリアの時と同じだ。

身内の問題は、身内で決着をつけるべきだと思う。何より今回は、私にとって実の母親になる。

ソレイユが覚悟を決めてシオリアと向き合い、本気で戦ったんだ。姉である私が、同じことができなくてどうする？

そう、私がするべきことは……。

この手で、母親を終わらせることなんだ。

「その役目は、誰にも譲らないわ」

「……そうか。お前が決めたなら何も言わない。もう片方は俺に任せてくれ」

「そのつもりよ」

「わかった。ユークリスの意見も聞いておきたいな」

「難しいわね。しばらくあの子の協力は仰げないわ。エトワールが傍にいるもの」

星読みができるエトワールの存在は、ユークリスを守る意味とは別に、私たちにとっては気軽に接触できないデメリットがある。

私が接触すれば、星読みで見られる未来に影響を与えてしまう。ディルが近づけば、エトワールに余計な情報を与えることになる。

自然にエトワールから離れ、ユークリスが一人になれるタイミングを見つけるか。もっともらしい理由をつけて地下の部屋に行く以外にはない。

少なくともしばらくは、ユークリス単独での行動は推奨されない。

「そうか。じゃあ仕方がないな」

「寂しそうね」

「せっかく話せるようになったばかりだからな……俺の眼の届かないところで何かあったら、っていう不安もある」

「そう。じゃあ手早く終わらせましょう。残り五体、復活しているかもしれない魔獣を全部、私たちで倒せばいいのよ」

「簡単に言うな。相手は初代の守護者たちが総出でなんとか倒した相手だぞ」

「わかっているわ。けど、アギアの件でわかった……復活は不完全よ」

私はかつて初代守護者たちが戦ったアギアの強さを体験している。その上で、シオリアを依代にした現代のアギアとも戦った。

だから、明確に力の差を実感できる。まず間違いなく、アギアの復活は不完全だった。本来の姿の一部しか顕現しておらず、その威力も私が対応できる程度。

人間を依代にしているのは肉体を失い、かつての力を顕現することができないからだと私は推測している。

そして彼らは時間をかけて緩やかに、かつての力を取り戻している。

シオリアがアギアと接触したのは、今から十年以上前のことだったらしい。それだけ長い期間、私たちの中に溶け込んでいた。

私やソレイユ、お父様を殺す程度の隙はあったのに実行しなかったのは、アギアの力がほとんど回復していなかったからだと思う。

ようやく戦える程度に回復したから、策を弄して他の守護者たちを疲弊させ、弱ったところを一気に殺すつもりでいた。

原初の魔獣全体の目的が、私たち守護者の殲滅(せんめつ)だと仮定して、アギアのように人間を依代に復活しているのなら……。

十中八九、残る魔獣たちも完全な状態ではない。

「急ぐ理由はそこにもあったか」

「そういうことよ。完全復活すれば手に負えなくなるわ。前に戦った災害級魔獣の比じゃない……犠牲は覚悟すべきね」

「考えたくないけどな」


そうしているうちに、時間は過ぎて――

王都を囲む壁の外に、王国騎士団が列を作っている。総勢七千人の団員が集められ、全員が同じ方向を向いている。

「全軍！　隊列を維持しつつ前進せよ！」

騎士団長ゴルドフ・ボーテンの指揮の下、騎士団は一斉に動き出す。向かう先は王都近郊にある火山の麓。

十年ほど前に噴火の影響で無人になった街があり、そこに明け色の雫がアジトを構えているという情報を得ていた。

これより、王国に仇なす盗賊団の討伐作戦が開始される。

「随分と大所帯ね」

「相手の数も五千人前後らしいし、このくらいは妥当じゃないか？」

「そうかしら」

「俺はそう思う。それに、この間の魔獣討伐の時よりは少ないだろ？」

「それもそうね」

今回の名目は、あくまでも盗賊団の討伐だ。原初の魔獣に関しては、王国でも一部の人間しかまだ耳にしていない。

不確定ゆえに、余計な混乱を避けるための処置だ。この戦いに参加する多くの騎士たちも、その事情を聞かされていない。

騎士団の各隊を指揮する隊長たちには伝えられ、もしもの事態になったらすぐに離脱するようゴルドフから指示が下っているらしい。

私たちは騎士団と同行しているだけで、彼らの作戦の一部に組み込まれているわけじゃない。自由に行動する権利がある。

「盗賊の相手は彼らに任せて、私たちは頭を探すわよ」

「了解だ。そっちのほうがお互いに都合がいい。できれば……」

ディルは遠目に、先頭を歩くゴルドフへ視線を向ける。

「あいつより先に見つけたいな」

「ええ」

ゴルドフが先に見つければ、彼は迷わず盗賊たちの頭を潰（つぶ）そうとする。魔獣の依代かもしれないなら尚更だ。

　アギアの時と同じなら、記憶が見られるのは倒した人だけだ。ゴルドフに先を越される前に、なんとしても私とディルで決着をつけなければならない。

「気合を入れましょう」

「おう」


　騎士団と私たちは歩を進める。

　目的地の街へは半日で到着し、直前に先行した部隊から報告が入った。どうやら情報は正しかったらしく、街の中に盗賊たちの姿が確認された。

　火山噴火の脅威があり、誰も近づかなくなった街の跡地は、確かに盗賊たちが潜伏するにはもってこいの場所だろう。

　ゴルドフの指示で、騎士団は四方向に分かれて前進する。

　火山の街を取り囲むように配置し、ゴルドフの異能発動を合図に、騎士団は一斉に街の中へと進軍する。

　ゴルドフの異能で、巨大な岩が街に落下した。

「――な、なんだありゃ！」

「今だ行け！」

「おおおおおおおおおおお」

「騎士団？　敵襲だ！　ボスと姉さんに伝えろ！」

あっという間に戦いは始まり、混乱の中乱戦状態になる。隠れていた盗賊たちも姿を現し、騎士団と剣を交える。

一方、アジト襲撃の知らせはいち早く盗賊団の頭目たちの耳に入った。

「大変だボス！」

「騎士団がここを嗅ぎつけたか。状況は？」

「完全に囲まれちまってる！　どうすりゃいい？」

「焦るな。戦力を一方向に集中させろ。一か所でも穴が空けば、そこから逃げれば問題ない。すぐにオレたちも向かう」

「わ、わかった！」

下っ端盗賊は走って二人の元から去って行く。その様子を見ながら、頭目の男は盛大にため息をこぼした。

「ったく、面倒だな」

「仕方ないわ。早く離脱して、次のアジトを見つけましょう」

「そうだな。最悪、オレたちだけ生き残ればいい。あんな連中、後から補充はいくらでもできる」

「そうね。いっそ、このまま私たちだけ逃げるのもありだと思わない？」

「ありだな。むしろ、これだけの騎士団が動いているんだ。今なら王都に侵入しやすい」

「――王都に何か用かしら？」

二人は視線を一瞬にして声がした方向へ向ける。

そこには誰もいない。見知らぬ女性の声だけが聞こえた。見えるのは、薄暗い影が不気味に広がっているることだけ。

「影……ちっ、来やがったか」

「……」

二人は警戒して、広がる影を注視する。どうやら二人とも気づいているらしい。私が、影の守護者が現れたことに。

私はゆっくりと、影の中から姿を見せ、二人の前に立ちはだかる。

一人は筋肉質な大男で、男らしい屈強な見た目と荒々しい雰囲気を醸し出す。まるで大型の猛獣を目の前にしている気分だ。

そして、隣にいる女性は……。

「影の異能……まさか一人でオレたちの元へ来るなんてなぁ。命知らずな女だ」

「……残念ね。一人じゃないわよ」

「何?」

改めて思う。私は自分の目的のため、他の全てを犠牲にする覚悟をしていた。誰も味方になってくれないことも覚悟していた。

それでも、今の私は一人じゃない。おせっかいでお人好しな怪物が、私の隣にはいつもいる。

信頼なんてしない。ただの共犯者、目的が近いだけの関係性だったのに、今では彼のことを信じている自分がいる。

　笑ってしまう。自分の甘さに、それを……悪くないと思っていることに。

「任せるわ。ディル」

「ああ」

　もう一人、私の背後の影から勢いよく飛び出したディルが、一直線に大男のほうへ飛び掛かる。

　そのまま男を殴り、建物の外へと吹き飛ばした。

「ぐおっ！　てめぇは……」

「お前の相手は俺だ。セレネ、そっちは任せていいんだな？」

「……ええ」

「わかった。負けるなよ」

「貴方こそ」

　ディルは小さく微笑み、吹き飛んだ大男に急接近する。そのまま胸ぐらを掴み、私と彼女の視界から消える。

　お互いの戦いの邪魔にならないように、距離を取って戦う。ディルと決めていた作戦はそれだけだった。

　あとは……お互いが勝つことを信じるのみ。

　私は向かい合う。もう一人の女性……おそらく彼女が、盗賊団の二番手だろう。

「初めまして……ではないわよね？」

「……ふふっ、驚いたわ。まさか、こんなにも早く再会できるなんて。これも運命かしら？」

一目見た瞬間に理解してしまった。容姿が、雰囲気が物語っている。彼女がそうなのだと……顔も見たことはないし、名前だって最近まで知らなかった。けれどわかってしまう。

彼女が私の……。

「大きくなったわね、セレネ」

「お母様……なのね」

「ええ。覚えていてくれたの？」

「そんなわけないじゃない。一度も会ったことがないのに」

どうしてだろう。初めて母親と対面している。この人には何の恨みもないはずなのに、なぜだかイライラしてしまう。

少しくらい、嬉しいと感じると思っていたのに……。

「怖い顔ね。せっかくこうして会えたのよ。ゆっくりお話をしましょう」

「勘違いしないで。私はここに、戦うために来たのよ」

「戦う？　私は貴女の母よ？」

「知っているわ。魔獣セラフ」

その名を口にした途端、柔らかく穏やかだった彼女の表情は一変する。逞しく凛々しい表情は、盗賊を束ねる者に相応しい。

お母様……セラフは笑みを浮かべる。

「気づいているのね」

「当然よ。だからここにいる。貴女を倒すために」

「……そう、残念だわ」

「倒される前に答えなさい。いつからなの？　いつから……魔獣になったの？」

私は彼女に問いかける。いつでも攻撃できる姿勢を維持しながら。

セラフは答える。

「死んだ日からよ」

「——！　生き返ったと言いたいの？」

「ええ、信じられない？　それも仕方がないわ。誰も私が生きているなんて思わない。あの人も……とっくに死んだと思っているでしょう？　ラルドは元気かしら？」

「死んだわよ」

「あら、そうだったの。それは残念ね」

口ではそう言いながら、ちっとも残念そうな顔をしていない。表情を偽っているというより、心底どうでもいいと思っているように見える。

私のイライラは、徐々に大きくなっていった。

「けど自業自得だわ。あの人は、私から貴女を引き離した。おかげで一人寂しく死んでいくことになったのよ」

「……どういうこと？　お母様は私を生んだ直後に亡くなったと聞いたわ」

「違うわ。私が死んだのはその一年後……貴女をヴィクセント家に取られて一人になって、元から身体が弱かった私は病にかかりあっけなく死んだわ」

彼女は淡々と語る。嘘を言っているようには見えない。事実だとすれば、彼女は悔いを残して死んでいったに違いない。

その悔しさが、魔獣セラフを呼び寄せた？

お父様や私への負の感情の高まりが、アギアを呼んでしまったシオリアのように。

「セレネも教えて。その力は何なの？　影の異能なんて私は知らないわ」

「そう。だったら知らないままでいいわ」

「ずるいじゃない。私は答えてあげたわよ」

「知らないわ。言ったはずよ？　私はここに戦いに来たの」

私は周囲の影を操り、セラフの周囲を影で囲む。話しているだけで膨れ上がる苛立ちを発散するように、私は先制攻撃をしかける。

「影よ――」

「せっかちなのはダメよ」

瞬間、眼前にいたはずの彼女が消える。

周囲に展開した影にも反応はなく、気配も消えていた。にもかかわらず、声は耳元で優しく響く。

「貴女も見るといいわ。素敵な夢を」

「なに……を……」

「――さま、朝ですよ」

「うぅ……」

誰かが私のことを呼んでいて、ゆっくりと重たい瞼(まぶた)を開く。開け放たれたカーテンが遮っていた朝日を私の瞳に届ける。

「眩(まぶ)しいわ」

「朝ですからね！　おはようございます、お姉さま」

「……おはよう、ソレイユ」

妹に起こされて、私はベッドから起き上がる。見慣れた天井、見慣れた風景、明るく元気な妹のソレイユがニコニコ笑っている。

「朝ごはんの時間です！　早く着替えてきてくださいね」

「ええ、そうするわ」

ソレイユは先に部屋を出て行く。

一人残された私は、いつものように着替えを始める。あらかじめ用意された服を手に取り、ピタッと動きを止める。

「……あれ？」

違和感があった。

服が違うとか、まだ眠たいとか、そういうことじゃなくて……何かが違うという感覚だった。ここは私の部屋で間違いない。

手に取った服も、何度か着たことがある私の服だった。

部屋にある鏡を見ても、よく知る自分の顔が映るだけで、特別な変化は見当たらない。

「気のせい……かしら」

ソレイユも待っている。私は急いで着替えを済ませて、慌てながら部屋を出た。屋敷の廊下も見慣れた景色だ。ここに違和感はない。

やっぱり気のせいだったと思いながら、みんなが待つ食堂へと入った。

「あ、お姉さま！」

「遅かったな、セレネ。また寝坊したのかと思ったぞ」

「ごめんなさい、お父様」

やれやれと首を横に振るお父様と、その隣には二人のお母様が座っている。

「セレネは朝が弱いわね」

「そういうところは私に似ちゃったのかしら？」

「かもしれないな。さぁ、早くそっちに座りなさい」

お父様に言われて、私は自分の席へと移動する。目の前にはお父様がいて、その隣にはソレイユの母親のシオリアお義母様と、反対側には私の母ニーナお母様が座っている。

私の隣には、笑顔いっぱいのソレイユの姿もある。

いつも見ている家族の光景だ。私も、その一部に加わるように椅子に座ろうとして……。

「お姉さま?」

「ん? どうしたんだ?」

みんなの視線が集まる。

私の全身に、最大級の違和感が駆け巡る。この穏やかな光景を、当たり前の風景を、間違っていると思う自分がいる。

「セレネ、早く座りなさい」

「……嫌よ」

「ん? 今なんと……」

「嫌だと言っているのよ!」

私は言い放つ。

心の底から出た感情を、そのまま言葉にして。自分でもしっくりくるくらい今の言葉は私らしいと思った。

そうだ。こんな光景は間違っている。私の家族は、私の人生は、こんなにも明るく穏やかなものじゃなかった。

誰に何と言われようとも、私が生きてきた道のりは、私が誰よりも知っている。

これは夢だ。

誰かが見せている……私が望んだかもしれない淡くて温かな夢なんだ。どう足掻いても、今さら手に入らない夢……。

「今の私には、似合わない場所だわ」

私は足元から影を広げる。

明るく穏やかな幻想を漆黒で塗り潰すように。

「セレネ！」

「お姉さま！」

「ごめんなさい。甘い夢におぼれるほど、私は弱くはないわ」

私は現実を知っている。嫌というほどに。だから、こんな夢を、私は信じない。

ぼーっと天井を見つめる私に、セラフがゆっくり近づく。

「楽しい夢は見れているかしら？　そのまま一生、夢の中でおぼれていればいいのよ」

「――お断りよ」

「――!?」

私は足元の影を棘のように鋭く変形させ、近づいてきたセラフを攻撃する。咄嗟に飛び避けたセラフだったが、両の太ももにかすって血が流れる。

「他人に夢を見せる……それが貴女の能力なのかしら？」

「……まさか、もう抜け出したというの？」

「侮らないで。私は夢におぼれない。私が見ているのは、いつだって今だけよ」

「……驚いたわ。よかったの？　素敵な夢が見られたでしょう？」

セラフは優しく笑みを浮かべる。私はそれを、呆(あき)れた笑みで返す。

「滑稽ね。あれを私にとっての幸せだと思っているなんて……いっそ無様だわ」

「……何を言って」

「もういいのよ。お母様のふりなんてしなくても」

「――――！」

セラフは驚き、私のことを鋭い視線で睨(にら)む。

さっきの夢を見せられて確信が持てた。彼女はお母様の肉体を持ち、記憶も持っている。だけど、お母様じゃない。

シオリアのように、アギアと意識が融合しているわけでもない。意識はセラフ単独のものだ。明確な根拠はないけど、そうだと確信した。

私は予測を彼女に聞かせる。

「貴女はお母様の死体を依代にしたのでしょう？　肉体に残っていた記憶をたどって、私の前でお母様のふりをした。油断させるために」

彼女と対面してから、ずっとイライラしていた。この苛立ちの正体にもやっと気づけた。彼女がお母様の身体を使って、お母様のふりをしていたからだ。

私は本能的に、それを嫌だと感じていたのだと思う。

何も知らない癖に、母親のふりをされたことが……無性に腹立たしかった。おまけにあんな夢まで見せられて、私の怒りはピークを迎えている。

もはや私は、目の前にいる彼女を母親だとは微塵も思えない。

「確かに素敵な夢だったわ。おかげで心置きなく、貴女を殺せる」

「……あら、親不孝ものね」

「そこは否定しないわ」

見殺しにした。行き違いはあったし、あまり好きでもなかった。それでも、心の奥底には愛情があって、私はそれに気づけなかった。

私は母親の顔を知らず、名前すら知らず、私を残して死んでしまったことを深く考えることもしなかった。自分のことで精いっぱいだった、というのは言い訳だ。

考えようとしなかった。私の母親がどんな人で、どんな人生を歩んで、私を産んでくれたのか。

私は結局、両親の想いを知らずに育ってしまった。

返せるものは何もない。返す機会すら失ってしまった。だからこそ、私がこの手でお母様を殺すんだ。

魔獣に身体を乗っ取られ、お母様の顔で、身体で、言葉で悪事を働く不届き者を、娘である私が許していいはずがない。

「影よ――」

私は影を広く周囲に展開させ、私とセラフを囲む。

セラフも対抗するように、アギアが使っていたものと同じ異次元を繋ぐ穴を二つ生成し、そこから巨大な蛾の羽のようなものを呼び出す。

羽は羽ばたきと共に虹色の粉をまき散らし、周囲を夢という名の幻術で覆っていく。

その全てを否定するように、私の影は無数の刃となって彼女の羽を斬り裂く。

「っ――」

「私は貴女を殺すわ」

「……本気ね」

「ええ……だってそれが、私にできる最初で最後の親孝行だもの」

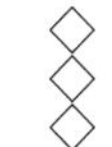

セレネとセラフが戦闘を開始する直前に遡る。

ディルはヴィクトルの胸倉を掴み、セレネたちから離れるように場所を移す。

「ぐっ、離せクソガキが！」

ヴィクトルが暴れ、ディルの手を振りほどき転がって距離を取る。

場所はセレネたちが戦っている建物の裏手。盗賊たちの姿はなく、遠くでぶつかり合う金属音だけがかすかに聞こえている。

ディルは周囲を確認し、自分たち以外に人がいないことを把握すると、右手に血の剣を生成して構える。

ヴィクトルは目を細める。

「その力……異能か」

「見てわからないのか？　それとも手品に見えたか？」

「……なるほどな。てめぇもオレたちが知らない異能の覚醒者か」

ヴィクトルはため息をこぼす。

その口ぶり、様子を観察しながらディルは思考する。

「お前たちは原初の魔獣で間違いないのか？」

「原初？　そんな呼ばれ方をしてたのか」

「答えろ。お前たちが、最初に生まれた魔獣なのか？」

「正解だぞ。現代の異能者」

ヴィクトルはニヤリと笑みを浮かべる。

この時点でディルは、原初の魔獣六体が全て復活していることを確信する。と同時に、彼はもう一つの疑問を口にする。

「お前はこの異能を知らないのか？」

「そう言っただろ。まったく、せっかく復活したのに面倒くせぇ異能者が増えてるなんて聞いてねーんだよ」

「……そうか」

ここに来て生まれた新たな疑問。

彼は最初の守護者たちによって討伐され、それから現代まで長く眠っていたと仮定する。ヴィクトルの話が事実なら、彼らは月と影の異能を知らない。

その存在は、初代の守護者たちにはいなかった。ならばどうして、彼らを倒すことで記憶が得られたのだろうか。

セレネが見た記憶は、原初の魔獣との戦いが終結した後のものだった。当然のことながら、原初の魔獣たちは討伐されている。

故に、その後の話を彼らが知らない、というのは理解できる。

ディルは目を細め、再びヴィクトルに問う。

「本当に知らないのか？」

「しつこい奴だな。知ってようが知るまいが、これから戦うことに関係あるのか？」

「……確かにそうだな」

ヴィクトルが何を語ろうと、これから始まる殺し合いにさしたる影響はない。なぜ彼らの中に、彼らが知らない記憶があるのか。

そんなことわからずとも、倒して記憶を見られるならそれでいい。ディルは頭の中でそう結論付け、血の刃をヴィクトルに向ける。

「質問ばかりして悪かったな。ここからは戦いながら話そう」

「はっ、ガキが……あまり調子に乗るなよ」

ヴィクトルは笑みを浮かべ、胸の前でパンと手を合わせる。直後、彼の背後に二つの大穴が空く。

アギアが展開していた穴と同じものが二つ。

そこから出現したのは、巨大な二つの腕だった。

灰色の肌に筋骨隆々で、それぞれの手には両刃の大剣が握られている。

「ぶった切ってやるよ」

ヴィクトルが腕を振るうと、その動きに合わせて背後の剛腕も動く。彼の両腕に、巨大な腕も連動している。

大剣を振り掲げ、ディルに向けて振り下ろす。

ディルは血の剣を巨大化させ、正面から彼の攻撃を受け止める。しかし、破壊力はヴィクトルに軍配が上がる。

ディルの剣は破壊され、彼は咄嗟に横へ飛んで回避する。

転がり回避した先で体勢を立て直し、破壊された血の剣を再構成し、鞭のように撓らせてヴィクトルを側面から攻撃する。

タイミング的には悪くなかったが、ヴィクトルは反対の剣を地面に突き刺し、ディルの攻撃を防ぐ盾にした。

「チッ、意外と素早いな」

「お前こそやるじゃないか。一振りで真っ二つにしてやろうと思っていたんだが……悪くない。退屈凌ぎにはなりそうだ」

ヴィクトルは笑みを浮かべて大剣での攻撃を連続で仕掛ける。

受ければ負けることを悟ったディルは、ヴィクトルの攻撃を飛び回り回避する。予想より素早いヴィクトルの攻撃も、ディルの本気の速度には追い付けない。

「速いな！」

「そっちは遅いな」

回避から最高速度でヴィクトルの背後に回ったディル。血の剣を構え、完全に無防備な背中に斬りかかる。

「仕方ないな。増やすか」

「――!?」

攻撃を仕掛けようとしたディルは、逆に攻撃を受けて負傷してしまう。切り裂かれ吹き飛んだ右腕が転がり、咄嗟に距離を取る。

虚を突いた攻撃の正体を、ディルはその眼で確かめる。

「腕が……」

ヴィクトルが操る巨大な腕の数が四本に増えていた。その手にも同様に、両刃の大剣が握られている。

ディルの片腕を斬り落としたのは、新たに姿を見せた腕の一本だった。

「その穴……アギアも使っていた。お前たちの共通の能力か」

「残念、外れだ。こいつは能力というより副産物だ」

「副産物？」

「見えるだろ？　この四本の腕が……本来のオレの肉体、その一部だ」

彼らの復活は不完全である。

人間の身体を依代にすることで限定的な復活を遂げたに過ぎない。不完全な復活では、彼ら本来の肉体を顕現させるだけの力が不足している。

それ故に、一部だけを顕現させて戦う方法を生み出した。

「だから副産物か」

セレネとディルも、彼らの復活が不完全である可能性は考えていた。それもあって、ヴィクトルの発言に納得する。

と同時に、不完全でありながらここまでの戦闘能力を持つ事実に、静かに驚いていた。

「どうやらここまでみたいだな。悪くなかったが、オレを殺すには足りないんだよ」

「……はっ、もう勝った気でいるのか？」

ディルはおもむろに、斬り落とされた右腕の断面を見せつける。ドバドバと血が流れ、普通なら失血死する重傷を負っている。

しかし彼は平然とした顔で立っていた。

それも当然である。なぜなら彼は――

「たかだか片腕を斬り落とした程度で」

「――再生？」

ディル・ヴェルト。忘れ去られた王族にして、月の守護者。有する能力は血液操作と、どんな負傷や病をも一瞬で回復させる無限の生命力。

彼の肉体は、いくら斬り殺しても死なない不死身である。

「その程度じゃ俺は殺せない」

「どういう能力だよ。そんな馬鹿げた回復能力……まるでオレたち魔獣のそれじゃねぇか」

「ああ、俺は人じゃない……怪物だ」

「はっ、怪物ならオレたちの仲間だな。どうだ？　一緒に怪物らしく暴れねーか？」

「お断りだよ」

ディルは即答する。ヴィクトルの勧誘に、一秒も考える間もなくハッキリと答えた。これにはヴィクトルも多少面食らう。

「悩みもしないか」

「当たり前だ。俺は怪物だけど……心はまだ、人間のつもりだ。お前たちとは違って」

「……はっ、違いない」

ヴィクトルは不敵な笑みを浮かべる。

彼の肉体も、セレネの母ニーナと同様、死に際の男を依代としている。故に、本体の人間としての人格はすでに消滅していた。

今の身体を支配しているのは、完全に魔獣ヴィクトルの意志である。

「物好きだな。好き勝手やれるこっち側のほうが楽しいぜ」

「生憎……俺は、今いる場所が気に入っているんだよ」

ディルは笑う。

彼の脳裏に浮かぶのは、唯一自分を忘れないでいてくれた優しい弟と、不器用なほどまっすぐで、非情に振る舞っているつもりでも、根っこの優しさを隠しきれていない共犯者。

彼女と出会い、死ぬことを望んだ日々が終わりを迎えた。本当は死にたいわけじゃない。みんなと一緒に、普通に生きて死にたいことが望みだと気づかされた。

彼は思う。

この場所にいるからこそ、怪物ではなく一人の人間として生きられているのだと。

「そうかよ。だったら仕方ない。怪物は退治しないとな！」

「こっちのセリフだ」

ヴィクトルの四本の剣が同時に襲い掛かる。ディルは血の波を起こし、四本の剣の軌道を逸らして回避する。

「上手いな！　けど、躱すってことはその回復力にも限度があるってことだろ？　腕じゃ足りないなら全身バラバラにしてやるよ！」

「それで死ねたらよかったんだけどな」

ディルが攻撃を回避するのは、彼自身の意志ではなく異能による副産物である。彼の肉体は死を拒絶している。

肉体の回復だけでなく、死をもたらすような攻撃に対しても、それを回避するように身体が勝手に動いてしまう。

それ故に、彼は回避を考える必要がない。反射に任せてしまえば、あとは攻撃にだけ神経を集中することができる。

余裕を持った思考は、戦いの最中に他事を考えることもできていた。

「お前たち、どうして今になって復活したんだ？」

「そんなの聞いてどうするんだよ」

「復活の理由を知らなきゃ、どうすれば完全に滅ぶのかわからないだろ？」

「……はっ、完全に滅ぶ？　そんなことあるわけねーだろ！」

ヴィクトルの大剣は地面をえぐり、衝撃波で周囲の建造物を破壊する。距離を取った両者は向かい合う。

「お前たち人間は、なんでオレらが生まれたか知らないんだな」

「……」

「殺す前に教えてやるよ。オレたちを生んだのが誰なのか……」

どうして、ではなく誰か。

ヴィクトルの言い回しにディルは眉を顰(ひそ)める。そのまま身構え、ヴィクトルの動きに集中する。

ヴィクトルはゆっくりと腕を動かし、指をさす。

ディルを。

「……俺を、さしてるのか」

「そうだよ。オレたち魔獣を生み出したのは他でもない……お前たち人間だ」

「――！」

「驚いたか？　無理もないだろうな。お前たち異能者は、魔獣から人間を守るために戦ってる。けど実際、魔獣を生んだのは人間だ。人間の持つ悪感情があふれ出て、肉体を持ち、意志を持ったのが俺たちだ」

「悪感情……だと」

怒り、悲しみ、妬み、嫉み、恨み、慰み……人が抱く感情の中には、負の影響から生み出されたものが多く存在する。

人はそれら多くの感情を、行動や発言、他の幸福と相殺することで解消する。しかし、実際はなくなっているわけではない。

心の奥底にしまい込まれ、限度いっぱいにまで膨れ上がるとあふれ出る。あふれ出た負の感情は力を持ち、意志を宿す。

魔獣とは、人々の持つ悪感情から生まれた存在だった。

「人間はオレたちを恐怖する！　だがな、その恐怖すらもオレたちを生み出す栄養なんだよ！　どうだ？　ガッカリしたか？」

ヴィクトルがディルに攻撃を仕掛ける。

振り下ろされた大剣はディルの左肩に直撃する。

大量の血を流し、肩から腰にかけて大剣の刃がめり込んだ状態で、ディルは茫然と立っていた。

「……終わりか」

「だから、足りないんだって」

「——⁉」

瞬間、ディルは素手でヴィクトルの大剣を握り砕いた。バラバラになった刃のかけらが散らばり、金属音が鳴り響く。

切り裂かれたディルの身体は、あっという間に回復していく。

「……驚きはしたよ。けど、それだけだ」

人間の感情は魔獣すら生み出してしまう。その事実に驚愕し、いろいろな思考が頭に過る。その全てをディルは独自に解釈した。

己が手にした力がそうであるように、人間には目に見えない力が宿っている。その力がマイナスに働けば、魔獣のような害を生み出すこともある。

自らが生み出した存在に怯え、その怯えが新たな恐怖を生み出す。確かに滑稽なことだけど、だからと言って、ディル自身の目的が変わることはない。

彼はもう、死を望んではいない。

彼が望むのは生。普通に生きて、普通に死ねればそれでいい。それを邪魔する者なら、たとえ誰から生まれた存在であろうと、戦うことを止めない。

そこまで考えて、ディルは失笑する。

「はっ、あいつの考え方が移ったかな」

自身の目的のためなら容赦しない。そう豪語していたのは、不器用だけど優しい共犯者だった。

正反対の目的を掲げながら同じ道を進み、ついに隣を歩くまでに至る。

今の彼らは、目指す先も、その目的も重なっている。

「貴重な情報をくれて感謝するよ。あとでセレネにも教えてやらないとな。あいつならきっと、そうだったのか、程度で終わらせそうだけどな」

「……何を勝った気でいやがる」

不機嫌そうな表情を見せ、ヴィクトルの背後で三本の剣が構えられる。

「一本砕いた程度で調子に乗るなよ」

「別に調子に乗ってるわけじゃない。そもそも、この戦いの勝敗はとっくについている」

「……なんだと？」

「お前じゃ俺は殺せない」

ヴィクトルは気づいていない。

すでにディルが、血液の川を地面に張り巡らせ、包囲網を気づいていることに。いかに素早く動けようとも、動かせる腕は巨大。

細かく分かれ、接近した無数の刃を交わすことは——

「貫け」

「なっ……」

不可能。

無数の刃がヴィクトルの身体を切り裂き、貫通する。出現した腕は強靭でも、その肉体は人間のものである。

「俺を殺したいなら、せめて完全復活してから戦うべきだったな」

「くそがっ……」

ディルとヴィクトルの戦いは決着が近い。

それとほぼ同時刻、セレネとセラフの戦いも決着が近づいていた。

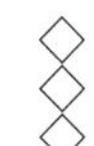

ボロボロになった建物内で、乱れた呼吸の音が響く。

血を流し、肩を大きく上下させて、流れる汗をぬぐう力すら残っておらず、ただ敵を睨みつけることしかできない。

「はぁ……はぁ……」

「ここまでね」

私はセラフを追いつめていた。

彼女の能力は対象に幻覚を見せるものだった。幻覚を見せるためには、背後に顕現させた羽がばらまく粉を取り込ませる必要があるらしい。

私はそれを瞬時に見抜き、羽を破壊し舞う粉を影の力で外に逃がしていた。結果、彼女は何もできず私の攻撃を受ける。

あまりに一方的な展開となり、少しばかり心が痛い……ということもなかった。

むしろ清々しい気分でいる。思い出はなくとも母親の身体を弄ばれた怒りは大きかった。もしも私の記憶に、母親との思い出が深く根付いていていたら、もう少し躊躇したかもしれない。

知らなくてよかったと、今は思う。

おかげで私は、遠慮も躊躇いも一切せず、母親の顔をした魔獣を倒すことができる。

「これで終わりにしましょう」

「……本当に容赦しないのね。母親を相手に」

「くどいわよ。これ以上、私を怒らせないで」

「チッ……」

小さな舌打ちが響く。

その直後、外から轟音と共に何かが吹き飛ばされてくる。満身創痍なセラフの隣に土煙が舞い、倒れていたのはボロボロのヴィクトルだった。

「ヴィクトル……貴方……」

「そっちも終わったみたいね」

「ああ」

遅れてディルが姿を見せる。当り前だけど、彼の身体には傷一つ付いていない。服が斬られているところを見ると、それなりに攻撃は受けたみたいね。

相変わらずの不死身さで、心配のし甲斐（がい）もない。けど、少しホッとした。

「そっちも終わりか」

「ええ」

私とディルは向かい合い、その視線の下にセラフとヴィクトルが倒れている。私たちは二人……いいえ、二匹の魔獣を見下ろす。

「この役立たず……負けてるんじゃないわよ」

「てめぇこそ……こっちは不死身を相手にしてたんだぞ」

「言い訳なんて聞きたくないわ。せっかく復活したのに、またやり直しじゃない」

「うるせぇぞ！」

彼らは子供みたいに言い合いの喧嘩（けんか）を始めてしまう。こんな光景を見せられると思っていなくて、私たちは呆れる。

ため息を一回、ディルと視線を合わせて頷き、私は影を、ディルは血を操る。

「さようなら……もう二度と、私の前に現れないで」

「相手が悪かったな」

影がセラフを、血の刃がヴィクトルを貫く。

瞬間、アギアの時と同じように、他の何かを貫いた感覚が伝わる。

異能は血筋に受け継がれる。

親から子供へと、世代をまたいで継承される。しかし、ここで予想しなかった出来事が起こる。

王と太陽の守護者の子供は双子だった。

その双子に異能が宿る。が、宿った異能は王の力と太陽の異能……ではなかった。

最初に生まれた双子の兄弟は、弟に王の異能が受け継がれた。兄に発現した異能は、これまで確認されていた六つの異能とも異なる七番目の異能だった。

次に生まれた双子の姉妹には、妹に太陽の異能が覚醒し、姉にも異能が覚醒したが、その力は太陽とは全く異なる影を操る力だった。

七番目の異能と、八番目の異能の発現は、王やその守護者たちだけでなく、多くの権力者たちを困惑させた。

そんな混乱はあれど、子供たちはさらに大きく成長し大人になった。


そして、権力争いに巻き込まれていく。

守護者同士の派閥争いは激化し、異能者たちは大きく二つに分かれる。王の力を受け継いだ双子の弟と、不死身の力を手に入れた双子の兄、どちらが王に相応しいのか。

誰が最初に言い出したかわからない議論は大きくなり、二つの勢力に分かれて争うことになってしまう。

この時はまだ、王の異能を持つ者が国王になる、という決まりは定められていなかった。故に力ある者がなるべきだという意見も間違いではなかったのである。

だが、本人たちはどうだったのか。

王の力を持つ弟は、不死身の力を持つ兄は、自らが王になることを強く望んだのか……。

思惑を知るのは当人のみである。結果的に、彼らは対立して水面下で争うこととなった。

初めは守護者たちも半分に分かれていた。しかし、時が経(た)つにつれて王の力を持つ弟のほうへ支持を変えるようになっていく。

彼らは気づいてしまったのだろう。

月の異能と名付けられたその力が、どれほど強大で恐ろしい力なのか。どんな傷を負っても死なず、病にかかることすらない。

文字通りの不死身を体現している力。そして、日の下に出られないというデメリットも相まって、月の異能は守護者の中でも異質なものとされ、恐れられた。

まだ何もわかっていなかった異能の力の中でも、月の異能は未知数すぎて恐ろしい。もし自分たちに牙をむいたらどうなるのか。

あの怪物が暴れ出したら、自分たちだけで止められるのか。次第に守護者たちはこう考えるようになった。

月の守護者こそが、魔獣に準じる新たな敵ではないのか。

なんと自分勝手な妄想だろうか。

彼らは自らの権力を確かなものとするため、双子の兄弟を利用していただけだった。にもかかわらず、最終的にはその片割れを人類の敵だと考えるようになる。

敵ならば排除しなければならない。対立は過激になり、小さな蟠(わだかま)りは大きな争いとなり、ついには内紛にまで発展してしまう。

もっとも、月の守護者に味方した者はほとんどいなかった。守護者の中で唯一、最後まで月の守護者の味方をしたのは……影の守護者ただ一人。

彼女だけが、たった一人で他の守護者たちと敵対する月の守護者の背中を守った。彼らの境遇は似ていた。

生まれるはずがなかった新たな異能を宿してしまったが故に、彼らの運命は大きくねじ曲がってしまったのだろう。

守護者の大半が弟に味方したことで、ほぼ大勢は決した。

新たな国王には弟が即位することになる。それと合わせるように、前国王である二人の父親が死去した。

突然の訃報に誰もが驚く。前国王はまだ若く、初老とすら呼べない年齢だった。身体のどこかを負傷していたり、病にむしばまれていたわけでもない。

あまりに予想外の死に、多くの人たちが悲しみ、またしてもありもしない憶測が飛び交う。

先代国王は、月の守護者に殺されたのではないか?

そんなことがあるはずはない。新たに王となった弟も、兄が父親を心から慕っていたことを知っていた。だから絶対に違うと、若き王は否定した。

だが、人々の声は勢いを増した炎のように激しく燃え上がり、もはやわずかな水程度では消えなくなってしまった。

そして最後の悲劇が起こる。

若き国王の意向を無視して、守護者たちが月の守護者を暗殺する計画を立てたのだった。

この感覚は慣れない。
頭の中に無理やり映像が流されているようで、正直ちょっと気持ちが悪い。特に今回は、あまり見ていて気持ちよくはない話だったからか。
後味が最悪だ。

「ひどい話だったわね」

「……ああ」

今回は距離が近かったからか、同時に二人を倒したからかわからない。私とディルは同じ記憶を共有していた。

その記憶を見せられどんな気持ちになったかは、お互いの表情を確かめれば明らかだ。

「……一先ずこれで、私たちの先祖が愚かだってことはハッキリしたわね」

「否定できないな。否定する気もないが」

権力におぼれ、憶測で罪なき人を魔獣と同列に扱い、あまつさえ暗殺まで計画するに至るなんて……これを愚かと表現せずどうしろと？

ただ、個人的な感情は別として、新たな情報も得られた。

「私たちの力は元々、王と太陽の守護者の子供に宿っていたのね」

「みたいだな。異能を持つ者同士の子供だから、混ざり合って新しい異能になった……とかか？」

「さぁ、どうかしら」

理由については憶測でしかない。

ただ、納得する部分もある。月と影……どちらも、太陽と関わりがある物の名前であり、力でもあった。

どうして、王と一緒に生まれるもう一つの異能の名前が月なのか。月に関する能力でもなかったから、ずっと疑問には感じていた。

その答えが、血筋。数百年以上前の世代で、王と太陽は交わり、その子供として月が生まれた。

二つの異能には関連性がある。

「ふっ……」

「どうしたの？」

隣でディルが小さく笑った。彼と私は同じ記憶を見せられている。あの中に、笑えるような話はなかったと思うけど……。

私はディルを見つめると、彼は優しい表情を見せる。

「いや、ひどい話ではあったんだけどさ。月の守護者に最後まで味方してくれたのが影の守護者だったんだろ？」

「そうみたいね」

「それって、今の俺たちに少し似てる気がしたんだよ」

彼に言われて、はっと気づく。

かつて月の守護者と影の守護者が、二人で力を合わせて他の異能者たちと敵対した。経緯は全く異なるし、厳密に私たちは彼らと敵対しているわけじゃない。

だけど、確かに似ている気はする。

「わかったのは記憶だけで、感情まではわからなかったけどさ。きっと、当時の月の守護者も……影の守護者に感謝していたと思う」

「よほどの物好きだったのでしょうね……昔の影は」

「昔も、じゃないか？」

「私は物好きじゃないわよ」

「どうだか」

ディルはいたずらな笑顔を見せる。

戦いの後だというのに、気の抜けた会話が続く。外では未だに、ゴルドフや騎士たちが戦いを続けているはずだ。

「そろそろ行こうか。こいつらを見せれば、外の戦いも終わるだろう」

「……そうね」

動かなくなった死体が目の前に二つ。

シオリアの時とは違って、どちらも死ぬ直前の身体を依代にしていたらしい。だから魔獣の人格を破壊しても、人間の人格だけが残ることもない。

少し、期待する気持ちはあったけど、仕方がないか。

「大丈夫か？」

「平気よ。見ての通り怪我(けが)はしていないわ」

「そうじゃなくて、気持ちのほうだ」

心配そうに私のことを見つめるディルは、目の前に倒れている遺体の片方に視線を向けた。

「それも含めて平気よ」

「セレネ……」

「覚悟してやったことよ。それに、ソレイユの時とは違う。ここに寝ているのは、最初から死体だったわ」

亡き母の身体を乗っ取り、利用していただけだ。

ここにいるのは母親じゃない……ただの魔獣、それ以上でもそれ以下でもない。敵を倒してほしかった情報も得られた。

落ち込むことなんて何一つない。

それに……。

「私は今を生きるので精一杯。過去なんて、振り返る余裕はないわ」

「……そうだな」

過去は過去として、どうしようもなく残ってしまう。だから、忘れることはないのでしょう。だけど、過去に引きずられても前へは進めない。

何度も死を繰り返して学んだことの一つだ。

私は前へ進む。

後ろは振り返らない。

第六章

死にたがりな兄弟

夜の王都に黒いローブで身を隠した不審者がかける。建物から建物へと飛び移り、目指す先には王城がそびえたつ。

が、その手前で彼は立ち止まる。

「やぁやぁ不審者さん！　ここから先は通行止めだよ！」

「――！」

彼の前に現れたのは、大気の支配者ロレンス・シロエ。建物と建物の間にふわふわと浮かび、彼が飛び移る経路を塞いでいる。

「最近、王都で偉い人たちが暗殺されちゃう事件が増えてるんだよね〜ってことで、犯人が君なんでしょ？」

「……」

「この先にあるのは王城だし、狙いは……王族の誰かかな？　誰かに依頼されたの？　それにしては、ターゲットがバラバラすぎるんだよね〜」

ニヤリと笑みを浮かべるロレンスに、暗殺者は背を向け逃げ出そうとする。

「あ、逃げちゃうんだ。けど、諦めたほうがいいよ」

暗殺者は駆けてきた道を引き返そうとする。建物から飛び移ろうとした瞬間、目の前が真っ暗になる。

「そっちには、僕よりずっとおっかない人が待っているからね」

「……っ」

「誰のことかしら？」

「ははは、この場にいるのは僕たちだけだよ。セレネさん」

私の影が飛び移ろうとした暗殺者を叩き落とし、彼は建物の屋上で一回転する。反対側の建物の屋上で私が待ち構えて、背後の建物の間にはロレンスが浮かんでいる。

完全に挟んだ。もう逃げられない。

普通の相手ならば……。

「――はぁ、やむを得んか」

渋い声が聞こえる。

直後、暗殺者を中心に複数の穴が展開される。アギアたち魔獣が使っていたものと同じ、異次元から自身の本体を召喚する力。

それを見て、私は確信する。

「やっぱり、原初の魔獣の依代で間違いなかったわね」

「ほらほら～。僕の言った通りだったでしょ？」

「調子に乗るのは倒してからよ」

「厳しいな。僕はこれでも褒められて伸びるタイプなのに」

軽口をたたいている間に、穴から無数の骸骨が出現する。

過去に確認されている魔獣の中には、人間や動物の骨格を模した骸骨の魔獣、スケルトンが確認されている。

一体一体の力はさほど強くないが、何体も一斉に出現し、多い時は小さな町一つを埋め尽くすほどの群れを成す。

暗殺者が呼び出したのは同じくスケルトン……ただし、色は真っ黒だ。

「うわ、骸骨がいっぱい……」

「油断しないで」

「大丈夫、骨くらい僕の風で吹き飛ば――」

「ロレンス！　上よ」

「え？」

余裕を見せていたロレンスに、スケルトンの大群が一斉に押し寄せる。目の前に召喚したスケルトンは囮で、本命はロレンスの頭上から落下するスケルトンの群れだった。

雪崩のように降り注ぐスケルトンの群れに、ロレンスは溜まらず押されて地面に落下していく。

「う、うわあああああああああああ」

「だから油断しちゃ――！」

私の意識がロレンスに向いた一瞬をついて、暗殺者は視界から消えている。残っているのは召喚されたスケルトンの群れだけ。

すぐに周囲を確認に、影をできるだけ広く展開したけど……。

「……見失ったわね」

周囲に暗殺者の気配はなかった。

翌日。

守護者たちを集めた会議にて、昨夜の失敗を報告することになった。

「——以上の理由で逃げられたわ」

『……』

全員の視線が、ロレンスに集中する。

「え、僕のせい？」

「今の報告通りなら、お前の失態以外の何物でもないぞ」

「ちょっ、まずは無事だったことを喜んでくれないかな！　スケルトンに押し潰されたんだよ！」

「それもお前のミスだ」

ゴルドフが冷たい視線と言葉をロレンスに向ける。

事実だから、誰一人としてロレンスを擁護する者はいなかった。シュンとなったロレンスは縮こまり、反省する猫みたいになる。

「はぁ……ただ、一応収穫はあったわ。あの暗殺者が四体目の魔獣で間違いないわね」

「そうみたいだね。だけど暗殺者にスケルトン……これまたおかしな組み合わせだ」

アレクセイがそう言うと、反省していたはずのロレンスがケロッと復活し、彼の意見を否定する。

「そうかなぁ？　僕はピッタリだと思うな〜。いっぱい人を殺して、その人たちの骸骨を操る……ほら、ピッタリでしょ？」

「ロレンス！　不謹慎な発言は慎め」

「あ、はい。すみませんでした」

ゴルドフに注意され、再び反省していますの姿勢を見せるロレンス。絶対に反省していないことがわかるから、シュンとしている姿も見ていて腹が立ってくるわね。

一応、暗殺者の情報はロレンスが見つけてきてくれたわけだし、感謝はするべきなのだけど。

「では、目下のターゲットはその暗殺者とする。貴族たちの護衛は我々騎士団が請け負う。皆も十分に注意してほしい」

「陛下の護衛は？　引き続き俺たちがする、でいいのかな？」

「俺はそのつもりだ。ウエルデン殿も引き続き、陛下の元にいていただきたい」

「そのつもりです」

星読みができる彼がユークリスの傍に控え、ゴルドフとアレクセイが交代で警護に当たる。この態勢を維持すれば、少なくともユークリスが暗殺される危険性は減る。

この場に参加できないディルも、二人の護衛が継続することは喜ばしいと思うはずだ。

相変わらずエトワールが傍にいるせいで、中々こっそり会う時間も作れないのはもどかしい。新しい情報も増えたから、一度どこかで共有しておきたいけど……。

そう思いながらユークリスへと視線を向ける。

彼も同じタイミングで私に視線を向けた。その視線が何かを訴えているように見える。どこか悲しげで……元気がない気がした。

「陛下、よろしいでしょうか？」

「……」

「陛下？」

「あ、はい。構いません」

ゴルドフの話を聞いていなかったのか、ユークリスは適当に返事をしているように見えた。

と、会議はここで終わり、私は屋敷へと戻ることにした。

「ユークリスの様子が？」
「ええ、少し元気がないように見えたわ」
屋敷に戻った私は、会議の内容をディルにも共有した。ロレンスの失態は先に話しているから驚きはしないけど、案の定一番気にしたのはユークリスの話題だった。

ユークリスの様子を伝えると、急激に心配そうな表情を見せる。

相変わらず弟のことになるとわかりやすい。今すぐ元気がない理由を知りたい。会って話したいと顔に書いてあるみたいだ。

話の主は取り逃がした暗殺者のことだったのだけど、今はそれどころじゃなさそうね。

「そんなに心配なら、次に私が会った時に聞いてみるわ」

「本当か？　助かるよ。俺の立場じゃ軽々しく会いに行けないからな。あいつに迷惑をかける」

「もどかしい立場ね」

血の繋がった兄弟で、本当はディルも王族の一員なのに、今は王城に立ち入ることすら足踏みをする。

世界から抹消された記録が戻ってくれたら、このもどかしい状況も改善するのだけど……。

そのためにもまずは、過去の真実を知らなければいけない。

「暗殺者を見つけるわよ。誰よりも早く」

「ああ。無作為に貴族を襲う暗殺者……放っておけば被害は拡大する。本格的に騎士団が動き出せば、俺たちも簡単には動けなくなるな」

「ええ、だからそれよりも先に見つけるわよ」

「アギアの時と同じ方法を使うのはどうだ？　おそらく今回も、相手は王都のどこかに潜んでいるんだろ？」

ディルの提案した作戦は、アギアの時と同じように、王都全域に私の影を広げる方法だ。確かに影による捜索ができれば、暗殺者がどこに潜んでいるのか見破ることはできる。

ただし、この作戦を実行するには、私一人の力では足りない。近くにいることで守護者の異能を高める王の存在と、他者を強化することができる太陽の守護者の加護が必須となる。

「ユークリスとソレイユ、二人の協力が不可欠ね」

「二人とも協力してくれるんじゃないか？　ユークリスはもちろんだし、今のお前の頼みなら、彼女も無下にしないだろう？」

「そうね」

ソレイユも頼めば協力はしてくれそうな気はする。彼女の母であるシオリアの一件以降、彼女との関係は悪くない。

元から優しく、私のことを気にかけていたソレイユのことだ。私が困っていると言えば、自分も協力すると言い出しそうな感じはある。

話さえする機会があれば、実行可能な作戦ではあった。まったく問題ないのだけど、妙にディルの表情がひっかかる。

何かに期待しているような……。

「……ディル、貴方もしかして、ユークリスと早く話す場がほしいだけじゃないの？」

「そんなことないぞ？」

「じゃあ何で一瞬目を逸らしたの」

「日差しが眩しかったからかな」

「そこは陰よ」

頑なに認めようとしないけど、間違いなく図星だ。

どこまでユークリスのことが心配なのか……気持ちはわからなくもないけど、ちょっと呆れてしまう。

ため息をこぼす私の耳に、トントントンと扉をノックする音が聞こえる。

「何かしら？」

「当主様、王城より使いの者が来ております」

私は扉越しに使用人の話を聞く。

「王城から？　何の用か聞いた？」

「はい。陛下が当主様とお話をしたいとおっしゃっているとか」

私とディルはお互いの顔を見る。

ユークリスが私のことを呼んでいるらしい。

「わかったわ。すぐ仕度すると伝えておいて」

「かしこまりました」

使用人が扉から離れた気配を確認してから、私とディルは向き合う。

「そういうわけよ。行ってくるわ」

「ああ、俺は留守番だな」

国王陛下であるユークリスから直々の呼び出しだ。この時点で、使用人であるディルは同席できないことを悟っている。

仕方ないと理解しつつも、ガッカリしているディルの顔を見て、慰めるように言う。

「ちゃんと聞いてくるわよ」

「頼んだよ。何かあったらすぐに影で呼んでくれ。いつでも出られるように準備はしておく」

「ええ、そうしておいて」

ユークリスに呼び出された私は、屋敷を出て王城へと足を運んだ。

外は夕焼けのオレンジ色で街が染まり、徐々に暗くなり始めている。私やディルにとっては動きやすい時間帯……。

もう少し遅い時間なら、こっそりディルも同行できたかもしれない。

私が聞いてくるから安心してとは言ったけど、今頃屋敷でディルは悔しがっているでしょうね。

今一番ユークリスの顔を見たいのはディルだから。

そんなことを考えながら馬車に揺られ、私は王城へとたどり着いた。騎士に案内され、ユークリスが待っている部屋へと向かう。

王城の中には騎士たちが何人も待機していた。十数歩歩けば違う騎士とすれ違う。まるで厳戒態勢だが、夜になるほど暗殺のリスクは上昇する。

昼間はアレクセイが守護し、夜にはゴルドフと彼が指揮する騎士団が王城の中に待機している。

今の時間ならゴルドフも王城のどこかにいる。

彼とは会議以外であまり話さない。アギアとの一件で一時的に敵対したこともあって、なんとなくお互いに避けている気がする。

一度どこかでちゃんと話して……と、友人同士ならするべきだけど、生憎私たちはそういう関係でもない。

むしろ会って何を話せばいいかわからないから、王城でバッタリ出くわす、なんてことは避けたいなと内心では思っていた。

私はゴルドフの姿がないかを密かに確認しながら、騎士の案内に従って進む。運よくなのか、ゴルドフには遭遇することなく部屋の近くにたどり着いた。

ただ……。

「セレネ」

「……そうだったわね」

部屋の前にはエトワールが立っていた。

忘れていたけど、確か彼もユークリスの護衛で王城に滞在しているのだった。ゴルドフのことばかり考えて、エトワールの存在を失念していた。

ある意味、ゴルドフよりも会いたくない相手ではある。

私の元婚約者で、今はソレイユの婚約者……と、一応はそうなっている。

もっともソレイユとの婚約は、彼女ではなくお父様がヴィクセント家の意向として勝手に決めたことだ。当主が私になった時点で、婚約に強制力はない。

何より、お父様は亡くなり、シオリアもいなくなってしまったけど……とにかく面倒ね。

「貴方も話に同席するのかしら？」

「いや、僕は別室で待機しているように陛下から命じられている」

「そう。よかったわ」

エトワールが一緒にいると、ユークリスと個人的な話もできない。それに、私が一緒にいる時点で彼の星読みは正しく機能しない。

そういう意味でも、エトワールは私と一緒にいないほうがいい。

「セレネ」

「何かしら？」

「わかっていると思うが、君が陛下と共にいる間の未来は保証できない。騎士たちも近くにいる。ボーテン卿も控えてはいるが、もしもの時は君が」

「陛下をお守りすればいいのでしょう？　そんなこと、貴方に言われなくともわかっているわよ」

「……そうか」

沈黙が数秒流れる。

私は小さくため息をこぼし、彼の横を通り過ぎようとした。

「セレネ、君は……」

通り過ぎた後、部屋の扉をノックしようとする私にエトワールが語り掛ける。

私は彼のほうへ視線を向ける。何か言いたいことがあるなら手短にして、と視線で訴える。しかし彼はだんまりで、何も言うことはなく……。

「いや、なんでもない。短く済ませてもらえると助かる」

「そうするわ」

エトワールはあからさまに何かを言いたげな雰囲気を醸し出していた。何を言うつもりで黙ったのか、私にはわからない。

知りたいとも思わない。口にしなかったのなら、結局はその程度のことだったのだろう。

私たちの関係は、とっくの昔に終わっている。親しく話す内容もなく、過去を厳しく言及するつもりもない。

ただの他人、守護者の一人でしかないのだから。


私は扉をノックして、許しを得てから部屋へと入る。

案内されたのは国王の執務室だった。エトワールは国王らしく、仰々しい椅子に座っている。

左右を見渡し、私たち以外に誰もいないことを確認して、私は呼吸を整える。

「来たわよ、ユークリス」

「はい。突然呼び出してしまい申し訳ありません」

ユークリスは丁寧に謝罪し、そのままゆっくりと席を立ち、私のほうへと歩み寄ってくる。部屋には対面で話をするためのソファーも用意されていた。

そちらに移動するのか、と思ったら、彼はソファーではなく私の前に歩いてくる。

「セレネさん、その……兄さんは？」

「屋敷で待機してもらっているわ。呼んだほうがよかったかしら？」

「いえ！　兄さんには……お話ししたいのは、セレネさんです」

「そう。じゃあ先に用件を教えてもらえるかしら？　私からも聞きたいことがあるのよ」

聞いてあげないと、ディルがソワソワして落ち着かないから。けどその前に、ユークリスの話を聞いてからにしよう。

わざわざ私を呼び出し、エトワールにも席を外させ二人だけで話せる場を設けた。相応の相談事でもあるのだろうと予想する。

現にユークリスはさっきから、変に畏(かしこ)まっているように見えた。

「セレネさん、貴女にお願いしたいことがあります」

いや、それよりもなんだか……覚悟を決めたような顔をしている？

ユークリスは真剣に、重たい表情で私を見つめる。そして、ハッキリと口にする。

「ボクを……殺してくれませんか？」

「――!?」

初めて会った日と、同じセリフを。

私は耳を疑った。冗談を言っている……ような雰囲気じゃない。ユークリスの表情は真剣そのもので、あの日を髣髴とさせる。

パーティーで初めて言葉を交わした時の光景と、今が重なる。

私は目を細め、静かに問いかける。

「どういうつもり？」

「……」

「冗談でそんなこと、口にしたわけじゃないのでしょう？」

「……はい。ボクは本気です」

本気で、自分を殺してほしいと懇願したのか。

ますます意味がわからない。どうして今さら、私にそんなことを頼んでくるの？

「訳を聞かせてもらえるんでしょうね？」

「……」

「ユークリス、貴方は何を——」

「ボクがいるせいなんです」

私が強く問い質す前に、ユークリスは口を開いた。震えながら、いつもより声を張って、悲しみに染まった表情で。

「何を言っているの？」

「セレネさんは……記憶を見ましたよね？」

「ええ、あれから増えたわ。貴方にもその話をしようと思っていたのよ」

「……もう、知っているんです」

ユークリスは消え入りそうな声で呟いた。

知っている……私やディルが新たに見た過去の記憶のことを言っているの？

私は話していないし、ディルだって当然、ユークリスと話す機会はなかった。その場にいなかったユークリスに知る術はないはずだ。

私は頭で湧き上がった疑問を口にする。

「どういうこと？」

「セレネさんと兄さんが、魔獣を倒す度……ボクの頭にも記憶が流れ込んできたんです」

「貴方にも？」

記憶を見ることができるのは、魔獣を倒した者と、そのすぐ近くにいる者だけだと予想していた。現にディルはアギアからの記憶を見ていない。私が口頭で説明するまで、彼は魔獣との戦いのその後を知らなかった。

そういうものだと認識していたけど、どうやら例外が存在したらしい。

魔獣たちに宿っていた記憶の欠片は、王の異能を受け継いだユークリスにも影響を与えた。もしかすると王と守護者の成り立ちが関係しているのかもしれない。

王と守護者の力は、見えない何かで繋がっている。王が近くに存在するだけで、守護者の異能が強化されることもその一つだ。

驚きはしたけど、同時に納得もしている。

そして、事情を納得したからこそ理解できない。

過去の記憶を覗き見て、何が起こったのかを知って、どうしてユークリスは自死を選ぶのか。

彼に死を選ばせるような話はなかったはずだけど……。

「過去の記憶を見ていたことと、さっきのお願いに関係があるとは思えないわね」

「あります……お二人が見たのは、記憶だけだったのではありませんか？」

私は首を傾げる。

「そうよ。過去の記憶だったわ……貴方は違うと言うの？」

「……はい。ボクが見たのは、正確には記憶だけじゃありませんでした。ボクが見たのは……いえ、感じたのは王の心です」

「王の……心？」

ユークリスはゆっくり静かに頷く。

「セレネさんも感じたのではありませんか？　頭に流れる記憶が、まるで誰かが語っている物語のようだと」

「――そうね。そう感じられたわ」

ユークリスの指摘した通り、流れ込んでくる記憶は、誰かが本を読み聞かせているような……知らない声が頭に響き、教えてくれているようだった。

過去の記憶をただ見ていたわけじゃない。誰かが見て感じたものを、私たちに投影しているのかもしれない。

そう感じた答えを、ユークリスは持っている。

「あれは、かつての王の記憶です。彼らが残した……記憶であり、記録の断片です」

「王の記憶……信じられないわね」

私は彼の意見に否定的な感覚を抱いた。

記憶の中身を疑っているわけじゃない。あれが王の記憶なのだとしたら、どうして原初の魔獣の核を破壊することで見ることができる？

原初の魔獣に、王の記憶が宿っている理由が見当たらない。

私のその疑問を、そのままユークリスに伝えた。するとユークリスは逡巡（しゅんじゅん）することなく、説明を始める。

「それはきっと、力の成り立ちに関係しているのだと思います」

「成り立ち？」

「はい。まず、どうして王が生まれたのか……セレネさんは気づいていますか？」

「そうね。予測はあるけど、確信はないわ。貴方は答えを知っているのね？」

「……はい」

ユークリスはこくりと頷く。

だったら悩む時間も無駄になる。私は彼に問いかける。

「教えてもらえる？」

「……王を生んだのは、人間です」

彼は答える。

その言葉を、最近別の人物からも聞いていた。

「人々の想いが、王を誕生させたんです」

言葉が、声が重なる。

教えてくれた人物が近いせいか、より重なって聞こえる。人の想い、感情によって力が生まれる……それじゃまるで——

「魔獣と一緒ね」

「その通りです」

「——！　貴方も知っていたの？」

彼は頷く。

ディルはヴィクトルとの戦いで、魔獣の成り立ちについて聞いた。それをディルから私は教えてもらって知っている。

ディルとユークリスは兄弟だから、伝え方の癖なんかはよく似ていて、だから同じことを言っていると余計に感じられたのだろう。

いいや、そうでなくとも同じだと思ったはずだ。

魔獣を生んだのは、人間から漏れ出る負の感情だったという。ならば、王を生み出したのは……。

「人々の、守ってほしいという願いかしら？」

「そうです。当時の人々は魔獣の脅威にさらされ強く願いました。魔獣を退けたい。戦える力を持った誰かに守ってほしいと」

「その願いが……」

王の異能を誕生させた。

笑ってしまうほどに循環している。魔獣を生んだのも人間で、魔獣と戦うために生み出された王も、同じ人間から生まれている。

まるでひどい一人芝居を見せられているようだ。

呆れてしまうけど、話はまだ終わらない。この時点ではまだ、ユークリスが自死を願う理由の根拠にはならない。

「王が生まれた経緯はわかったわ。それで、続きは?」

「王が生まれた後、次に六人の守護者が生まれました」

「それは知っているわ」

そこにはまだ、月と影の守護者は存在していなかった。六人の守護者は王の名のもとに原初の魔獣たちと戦い、勝利を収めている。

「守護者を生んだのも人の想いでした。王の手足となり、魔獣と戦う力を求めた結果、六人の守護者が誕生したのです」

ユークリスは淡々と語り、私もそれを黙って聞く。

王が人の想いから生まれた時点で、守護者たちも同じであることに疑問を抱く余地はない。そこにユークリスが補足する。

「ただ、王の時とは違ったのは、守護者たちを生んだのは人々の願いと、王の願いが一つになった結果なんです」

「同じことでしょ？　どっちも人の願いだわ」

「違うんです。なぜなら王は、人々が願わなくても守護者を生み出す力を持っています。それこそが、ボクたち王に宿った本当の異能……」

王の異能。

その力が何なのか、長らく解明されていなかった。

守護者の近くにいることで、それぞれの異能に影響を与える力。他の異能を制御し、制限する力。夢の中に相手を招待する力。

過去の記憶の中で、王は守護者たちが生まれる前、彼らが扱っていた異能と同じ力を持っていた。

その全てが王の異能であり、王を、王たらしめる証明。

王の異能の正体は——

「王自身の願いを現実にする力……それこそが、王の異能なんです」

「願いを……現実にする……？」

例えば、明日の天気は晴れがいいと願い、それが現実になる。嫌いな誰かが不幸な日に遭ってほしいと願えば、実際に不幸に遭う。

そんな日々の願いすら現実になってしまう。それが王の力だというなら、あまりにも理不尽で、あまりにも強大すぎる。

もはや王ではなく、完全無欠の絶対者……神だ。

「そんな力を……本当に持っているの？」

にわかに信じられない。

疑問視する私に、ユークリスは情報を補塡する。

「もちろん、願ったこと全てを現実にできるわけではありません。願いを現実にする力の発動には、それにふさわしいだけの強い感情が必要になります。王が願い、それに釣り合うだけの激しい感情を持っていなければ、能力は発動しません」

つまり、私がさっき思いついたような小さな願いは、想いの弱さゆえに発現しない。

守護者の誕生は、王自身の願いでもあった。自分一人で魔獣たちと戦うのは限界がある。もし自分が死ねば、人々を守れない。

だからこそ、共に戦ってくれる存在が……守ってくれる者たちが必要だった。

同じように人々も願った。

たった一人で魔獣と戦う王を見て、共に戦う仲間がいてくれたら、王の負担を減らせる。自分が立ち上がるわけじゃないあたりが、人間らしい弱気な面も感じられる。

かくして、二つの願いは重なり、六人の守護者を誕生させるに至った。

ユークリス曰く、もしも人々の願いが一致していなければ、守護者は誕生していなかったかもしれない。誕生しても六人ではなく、もっと少なかったはずだと。

王は願いを叶える力を持ち、王自身には人々の願いも集まっている。

「ここまでは、王と、人々の願いの話でした。ここから先は、王自身が願ったことです」

ユークリスは続ける。

「セレネさんも見たはずです。魔獣がいなくなった世界で何が起こったのか」

「ええ、見たわよ。醜い権力争いでしょ？」

「……はい。その中心にいたのも、当時の王でした」

魔獣という共通の敵を失った守護者たちは、力と地位におぼれて権力争いを始めてしまった。自らが次の王となるため。王の地位に近づくために手段を尽くした。

その様子を誰よりも近くで見せられた王は、果たしてどんな思いを抱いたのか。その答えを、ユークリスは見ている。

彼は語り始める。当時の……王の悲しき思いを。

戦いは終結した。
人々の願いは実を結び、世界から魔獣の恐怖は消えてなくなった。だけど、どうして争いは続いているのだろう。
ともに戦った守護者たちは、己が権力を誇示するために異能を使い、仲間同士で睨み合う。

不毛すぎる。

こんなことを、人々が望んだはずがない。


王は悲しみ、どうにかしたいと考えた。

王自身は、自らが王であることに固執していない。自分よりも王にふさわしく、人々のために尽くせる者がいればその座を譲る気でいた。

しかし、彼の視界の中にいる者たちは、人々ではなく己のために力を振るっている。王は彼らを、次なる王に相応しいとは思えなかった。

どうにかして彼らの争いを止めなくてはならない。そうしなければ、守護者こそが魔獣と同じ悲劇を生むだろう。

王は守護者たちに呼びかけた。

我々は争うべきではない。権力のために異能があるわけではない。

人々の安息を守るために我々は戦い、勝利した。その穏やかな日々を、我々が脅かしては意味がないではないか……と。


だが、王の言葉は彼らには届かなかった。

力におぼれてしまった彼らに、王の……人の言葉は届かなかったのだ。

幸いにか、不幸なのか、新たに魔獣が誕生したことで、守護者たちの争いは休戦し、再び人々の安息のために力を尽くすこととなる。

それでも王の悩みは消えなかった。

魔獣がいなくなれば……世界が平和になれば、いずれ同じことを繰り返す。ならば最初から、異能などないほうがよかったのではないか？

王など……自分など、存在しなければよかったのではないか。


王は願った。

異能が世界からなくなることを……。

自身の存在が争いを生むならば、消えてしまっても構わないと。

彼の想いは本物だった。しかし、願いは叶わなかった。なぜなら、人々はそんなこと願ってはいなかった。

彼らが願うのは、自らの安息だった。そのために、自分ではない誰かが戦ってくれる現状を失いたくなかった。

王の願いと人々の願いは別れ、想いの強さによって後者が優先される。

そうして異能は世代を超えて受け継がれるようになった。ただ、王の願いは何一つ叶わなかったわけじゃない。

一つだけ、叶ってしまった願いがある。

それこそ、争いを生む自分自身の終わり……彼の願いは、王の異能を宿す者は短命、という結果となり叶ってしまった。

いや、当時の王は悲観しなかった。

守護者は王の願いと力によって生み出された存在だ。王がいなくなれば、守護者たちの異能にも影響が生まれる。

一緒に消えるか、弱まるくらいはするだろう。

異能さえなくなれば、この不毛な争いも終わってくれる。


……でも、もし終わらなかったら？

自分が死んで、異能が失われても争いが続くのなら、何のために命を捧げるのだろう。

そんな疑問が王の中にはあった。

人々の平和のためなら死を望む。だけど、死にたいと願う裏側には、生きていたいという本心を隠していた。

その矛盾こそが、月の守護者を誕生させた。


死にたくない。ずっと生きていたいという願い。だけど、自分が生きていれば争いはなくならず、人々に悪影響を与える。

そうわかっているのに生きたいと願った自分は王に相応しくない。普通の人のように、日の下で過ごすことすら……。

覚悟が決まらない自分を、誰かが殺してくれないだろうか。

そう願ったことで、影の守護者は誕生した。


自分は生きているべきではない。だけど惨めにも生きようとしてしまう。覚悟しているつもりでも、心の奥底では揺らいでいる。

そうでなくても、王は人々の願いを集める存在だ。人々が王の死なんて望んでいるはずもなく、王は自らの意志で死を選べない。

そんな弱い自分を殺してほしい。願わくば弱い自分の代わりに、間違った道を進む守護者たちを止めてほしい。


こうして、二つの異能は誕生した。

彼らは人々の願いによって生まれた存在ではない。王が抱えた矛盾が、強い感情によって能力を発現させ、月と影の二つを生んだ。

そして現代に……。

同じ矛盾を抱えた幼き王が誕生してしまった。

「ボクは願ってしまったんです。死にたくない……だから、兄さんは月の守護者になりました」

ぽつりぽつりとユークリスは語り出す。

「こんなボクを殺してほしいと願ったから、セレネさんは影の守護者になりました」

自らの過ちを悔い、懺悔するように。

その瞳は潤んでいて、今にも泣きだしそうなくらい弱くて……。

「だから、ボクがいなければ、二人とも悲しまなくてすんだんです。ボクを殺してくれたら、全部終わります」

王の異能と、守護者の異能は密接に関係している。

月と影の異能は、王の願いそのものから誕生した異例の存在だった。それ故に、王の存在がもっとも色濃く影響を受けるのは私とディルに違いない。

王が死ねば、私たちの異能も消えるだろうか。

繰り返す悪夢も、終わらない生も、王という存在を失うことで消えてくれるのだとしたら……。

「ユークリス」

「お願いです、セレネさん！　他の守護者ではボクは殺せません。セレネさんの力だけがボクを殺せるんです。だから……」

「……私は――」

答えを遮るように、異様な気配が部屋の中に出現する。

床に無数の穴が空き、そこから複数体のスケルトンが顔を出す。

「これは――」

魔獣を宿した暗殺者の力。

私は咄嗟に影の異能を発動させ、自身の周囲にいるスケルトンを破壊する。しかし数が増え続け、私とユークリスの間に距離ができてしまう。

外から応援が来ない。微かに騒がしい声が廊下側からも聞こえている。まさか王城中にスケルトンを呼び出したというの？

だとしたら、そっちの対応に追われて応援が来るまで時間を要する。

「くっ、こっちに来て！　ユークリス！」

私は手を伸ばす。

影さえ足元に届かせられれば、私の異能で彼を隠すことができる。あと少し、ほんの少しで届くというところで、影は何かに阻まれる。

それは、王自身の意志。

王は他の守護者の力を拒絶することができる。彼は自らの意志で、私の助けを拒絶した。

スケルトンに阻まれた先で、ユークリスは微笑む。

「ごめんなさい。でもよかった」

「ユークリス？」

「これで……セレネさんにも、迷惑はかかりませんから」

この状況で微笑み、彼は安堵した表情を見せる。彼はきっと、私に殺してほしいと懇願しながら、その役目を私に願うことを躊躇っていた。

守護者の中で、王を殺すことができるのは、その誕生の経緯から影の守護者だけだった。他の守護者たちは王の意志に関係なく、王を守るために動くだろう。

だから私に願った。

けれど、魔獣ならばそんな意志も関係性も意味をなさない。予期せぬ暗殺者の登場こそ、彼が一番望んでいたことかもしれない。

ユークリスの前に、片目を閉じた老人が現れる。

「貴方が……魔獣ですか」

「いかにも。我が名はハリスト。人の王よ、その命……我が終わらせてみせよう」

「はい。お願いします」

抵抗しないユークリスにわずかな動揺を見せるハリスト。しかし考えたのは一瞬で、すぐに右手のナイフを構える。

ユークリスは本気で死ぬつもりだった。

彼はすでに目を閉じ、死ぬ覚悟を決めている。

彼が死ねば、私のループは終わるかもしれない。異能とループが関係している可能性が高い以上、この方法が一番確実だと、私自身も思っている。

それなら、このまま魔獣がユークリスを殺すまで待てばいい。

私自身は手を汚さず、ループの地獄から抜け出せるのなら……いいことばかりだ。

なんて、彼と出会う前の私なら、そう思っていたかもしれない。

「影よ、舞いなさい」

「――！」

「セレネさん！」

周囲のスケルトンを影の波で一気に押し流し、ユークリスとハリストの間に影を届かせる。ユークリスに影が届かないなら、ギリギリまで伸ばして私自身が移動すればいい。

影は届かなくとも、手は届くでしょう？

私の手はしっかりと、ユークリスの腕を掴んでいる。

「勝手に死なれると困るのよ」

「くっ、一歩のところで」

「下がりなさい魔獣……貴方が触れていい相手じゃないわ」

影の刃を無数に生成し、ハリストが接近できないように牽制する。ハリストは苦い表情を浮かべて飛び退ける。

「……どうして、助けたんですか？」

ユークリスが問いかける。私が掴んだ腕は、わずかに震えていた。

「ボクが死ぬほうが、一番いいんです。そうすれば、セレネさんだって幸せに……」

「……はぁ、兄弟揃って馬鹿ね」

「え？」

どうしてこの兄弟は、すぐに自分が死ねばいいなんて思うのかしら？

自分以外の誰かのために、自分の命を犠牲にする。確かに綺麗で、格好いい理由に聞こえるけど、私は愚かだと一蹴するわ。

死ぬことで誰かを幸せにする？

ふざけないで。

「貴方は自分が死んで、悲しむ人間がいないと思っているの？」

「――それは……」

「いるでしょう？　彼のために死んで、彼が喜んでくれると思う？　本気で思っているのなら、貴方は愚かを通り越して大馬鹿よ」

「でも……これしか……」

「方法なんて探せばいいわ。まだ過去の記憶も全て見たわけじゃない。何もかも終わって、それしか方法がないなら仕方ない。それでも今は……生きていてもいいじゃない」

自分でも少し驚いている。

私はループを抜け出すために生きると決めた。そのためには悪役にでもなってやる。覚悟はしていたし、現に私は自信の利益のためなら躊躇わない。

父親は私が死なせたようなものだし、二人の母親も私がこの手で殺した。

思うところはあっても、その選択を後悔はしていない。そんな私が、ループを抜け出す千載一遇のチャンスを逃すなんて……。

笑ってしまう。

長く一緒にいて、彼の心配性が移ったのかしら？

「私の幸せは、私自身で掴み取る。貴方が勝手に決めることじゃないわ」

「セレネさん……」

「それに、一番重要なことを忘れてるわよ」

「え？」

「今ここで、貴方を見殺しにしてみなさい？　その後で必ず、私は彼に殺されるわ」

直後、窓ガラスが割れる。

私が影の力で呼び出したわけじゃない。彼は自らの異変に気づき、一目散にここまでたどり着いた。

大切な弟を、その手で守るために。

「無事か！　ユークリス！　セレネ！」

「兄さん！」

「ほら、過保護なお兄さんが来ちゃったわよ」

無事な私たちを見てホッとするディル。

すぐに視線をハリストに向ける。

「お前か」

「貴様……ヴィクトルを倒した人間……か」

ディルはハリストを睨みつける。

それなりに長く一緒にいる私も、彼がここまで怒っている姿を見るのは初めてだった。人間が放てるような殺気じゃない。

魔獣であるハリストのほうが、ディルの怒りにたじろぐ。

「覚悟しろよ……魔獣」

「っ……まとめて殺すのみ！」

ディルとハリストがぶつかり合う。

その様子を、私とユークリスが見つめている。

「もし、私が貴方を殺していたら、どうなっていたかわかる？」

目の前では、不死身の怪物が暴れていた。

何度傷を負っても再生し、倒れることなく襲い掛かる。ハリストが呼び出したスケルトンは次々砕かれ、彼の本体である巨大スケルトンの腕も、容易(たやす)く破壊される。

「きっと、今みたいに彼は怒りくるって私を殺そうとしたはずよ」

巨大スケルトンの腕すら破壊され、退却しようとしたハリスト。私は逃げられないように、影で部屋全体を覆っている。

もはやどこにも逃げ場はない。

この場から逃げる方法はただ一つ、怒り狂う不死身の怪物を殺すしかない。だが、そんなことは誰にもできない。

「終わりだ」

「ぐ、が……」

ディルの刃が、ハリストの心臓を破壊する。いともたやすく、原初の魔獣の一体を葬ってしまった。

まさに、現代最強の存在が彼だ。

つくづく、彼が味方でよかったと思う。

「あれと敵対するなんて嫌よ」

せっかくループを抜け出せても、殺されてしまったら意味がないのよ。


そして、記憶は流れる。

月の守護者の暗殺計画が実行された。

守護者たちが総出で挑み、最初に相対したのは影の守護者だった。彼女は月の守護者を守るため、たった一人で戦い、命を落とした。

影の守護者にとどめを刺したのは……奇しくも太陽の守護者だった。

姉妹で争い、命を奪い合い、片方だけが生き残った。

後悔しようとも、涙をどれだけ流そうとも、失われた命は戻らない。

悲しみが消えるよりも前に、月の守護者が彼らの前に立ちはだかった。彼は怒っていた。味方してくれた彼女を失ったことに。

殺した彼らにではなく、死なせてしまった自身の不甲斐なさに。

月の守護者は怒りのままに暴れ回り、躊躇なく不死身の力を行使した。不死身の怪物に、力を持った程度の人間が勝てるはずもない。

守護者たちは重傷を負ってしまう。

それでも誰一人、死ぬことはなかった。怒りに支配されながら、最後の最後で己を取り戻した月の守護者は、彼らの前から消える。


彼が向かった先は、自らの半身とも呼べる双子の兄弟がいる場所。

月の守護者が王の元へ向かったのは報復のため？

否、別れを告げるためだった。

自らの存在が余計な争いを生むと感じた月の守護者は、自らの意志で死ぬことを選んだ。心から自死を願うことこそ、月の守護者が死ぬ方法だった。

こうして、月は明かりを失う。

残ったのは、冷たい涙の川だけだった。

「ユークリス！」

「兄さん……」

記憶が流れ終わってすぐ、ディルはユークリスの元へ駆け寄った。月の守護者の最期について、重要な情報がわかったというのに。

ディルが一番気にしているのは自分よりも、弟のユークリスの安否だった。どこまでも弟のことを想うディルには、呆れ以上にすごいと思ってしまう。

ディルに肩を摑まれ、ユークリスは茫然とする。

「大丈夫か？　怪我はないか？」

「兄さん……」

そんな彼に、私は問いかける。

「ねぇユークリス、月の守護者を失った王は、どんな気持ちを抱いたの？」

「――！」

彼だけは、王の感情を知る権利がある。

私には聞こえなかった王の気持ちも、彼には届いているはずだ。双子の兄を失った弟が、どうして涙を流したのか。

考えて、同じようにユークリスも涙を流す。

「ごめんなさい……」

「お、おい、どうしたんだ？」

「ボクは……兄さんに同じ想いをさせて……しまうところでした」

「何言ってるんだ？　どこか怪我でもしたのか？」

「大丈夫、です。ボクは……生きていますから」

そう言ってユークリスは笑う。

不安や悩みが吹っ切れたように、優しく清々（すがすが）しい笑顔を見せる。

どうして泣いていたのか理由を知らないディルは、キョトンとした顔を浮かべているけど。あとで理由を知ったら、きっと怒るでしょうね。

「いい？　ユークリス、死は一生で一度だけ訪れる……それが普通なのよ」

「……はい」

終わらない生も、繰り返す死も、どちらも普通の人生では体験できない。

人の命は一つだけだし、命が尽きればそれまでだ。だからこそ、みんな今を、一分一秒を精一杯生きようとする。

自分から死を望むなんて馬鹿げている。

そんな死に方したって、何も得られるものなんてない。死は苦しくて、寂しくて、悲しいだけだから……。

私はそれを、誰よりも知っている。

「生きるために足掻きなさい。私も……そうだから」

「……そうですね。ボクも……生きたいです」

「ふっ、本当、似た者兄弟ね」

これでようやく、死を望むような悲しい人はいなくなった。

私も、ディルも、ユークリスも、普通の人生を歩むことは難しい。今のままじゃ、普通の幸せなんて遠い先の話だ。

だからこそ生きていく。今日を、明日を、明後日を生き抜く。

その先に、新しい変化があることを期待して。

エピローグ　終わりなき日々

　少しだけカーテンを開け、窓を開けて外を見る。外は清々(すがすが)しいほど青空で、日差しも穏やかで心地いい。もっとも、これは普通の人間の感覚だ。

　生憎(あいにく)この屋敷には、太陽に嫌われてしまった可哀想な人がいる。

「誰が可哀想だ」

「まだ何も言っていないわよ？」

「言わなくても顔に書いてある。嫌がらせか？　俺が目の前にいるのにカーテンを開けるとか」

「そんなつもりはないわ。ちょっと外が見たくなっただけよ」

　私は執務室の椅子に座り、当主としてのお仕事に勤(いそ)しんでいた。ディルも私の仕事を隣で手伝ってくれている。

　ここ数日、一気にいろいろなことが起こりすぎて、私もディルも忙しかった。当然ながら当主としての職務なんてまともに全うできていない。

　魔獣との戦いに、死にたがりなユークリスを説得したり……予想以上に忙しい毎日に、さすがの私たちも疲れを感じている。

「セレネ」

「何かしら?」

「ユークリスの件、ありがとう」

「どうしたの? 急に」

書類仕事に目を通していたディィルがピタリと動きを止めて、私のほうを向いた。いつになく真剣な表情で、まっすぐと私を見つめる。

「俺は……あいつが悩んでいることに気づけなかった。お前が引き留めてくれなかったら、今頃あいつはこの世にいなかったかもしれない」

「それは仕方がないことよ。私だって、彼が話してくれるまで知らなかった。私に話したのは、彼の願いを叶(かな)えられるのが、私だけだったから」

何より、大切な兄のことを想っての自己犠牲だ。そんなことを兄が、ディィルが望むはずがないと理解していたからこそ、ユークリスは私に懇願した。

自分を殺してほしい、と。

私はそれを、嫌だとキッパリ断った。

「……よかったのか?」

「何が?」

「あいつが言っていたんだろ? 俺たちの異能は、王の願いから生まれたものだって」

「そうらしいわね」

「だったらあいつが言う通り、王がいる限りは消えない……王を殺せば、この異能も消えるかもしれない」

「ふふっ、それを貴方が言うのね」

思わず笑ってしまった。王を殺せば……なんて、ディルにできるはずのないことだ。優しい彼が、弟を殺すことなんてできるはずがない。

たとえ可能性があっても、選択肢にすら上がらないことを、わざわざ私に尋ねてくる。彼なりの葛藤が、表情が読み取れる。

「そうね。確かにそれで解決したのかもしれないわ」

異能が全ての元凶なら、王を失えば異能は消失し、あらゆる問題は解決する……のかもしれない。

現状、わかっていることを整理したら、それが一番可能性が高い。私の目的、ループを抜け出して好きに生きる……。

それを達成する近道を提示され、私は拒絶した。

「これでよかったのよ」

「どうして？」

「もし、私がユークリスを殺していたら、貴方が私を殺すでしょ？」

「それは……その時が来ないと、わからないな」

ディルは困ったように視線を逸らす。断言できないことこそが答えだ。異能がなくなればただの人間……ディルが本気で襲い掛かってきたら、女の私は勝てない。

そういう未来が、可能性として浮かび上がる。ループもなくなり、彼に殺されて死ぬ。それを幸せとは思えない。

「私は生きたいのよ。死ぬのも、殺されるのも嫌なの。だから、そうなる選択肢は選ばないわ」

「……そうか」

と呟き、ディルはどこかホッとした表情を見せる。

「それに、今ここで異能を失ったら、残りの魔獣はどうするの？」

「ああ、残ってたな」

「そうよ。記憶だって、全て見えたわけじゃない。まだ謎は残っているわ」

私たちの異能は王の願いから生まれた。けれど、私が持つループの力に関しては、まだ何もわかっていない。ループだけは、ユークリスが望んだことじゃなかった。

この力は異能とは別なのか、それとも何か別の……誰かの願いが具現化したのか。その答えを知るために、私たちは過去を見る必要がある。

「知らないことを知りましょう。全部見て、わかった上で、どうするか決めればいいわ」

「……もし、王を殺すしか方法がなかったら？」

「その時は……そうね」

私は一人、カーテンの隙間から窓の外を見つめる。

「他の方法を探すしかないわね」

たとえ王を殺す以外に方法がなかったとしても、私はそれを選ばない。選んだ先に、明るい未来は待っていないと理解しているから。

「殺されるのは嫌だもの」

「……長くなるかもしれないぞ」

「それでもいいわ。このまま……生きていけるなら」

私の願いは、最初から変わらない。

このループを終わらせて、好き勝手に生きること。ループを終わらせるだけじゃ足りない。私は生きて、幸せになるために戦う。

少しずつ……確かに、近づいている実感はある。

この先にどんな困難が立ち塞がろうとも、必ず乗り越えてみせましょう。たとえ世界が、理(ことわり)が敵になろうとも。

私は、私の願いを胸に生きる。

DRE NOVELS

ループから抜け出せない悪役令嬢は、
諦めて好き勝手生きることに決めました2

2023年5月10日　初版第一刷発行

著者　日之影ソラ
発行者　宮崎誠司
発行所　株式会社ドリコム
〒141-6019　東京都品川区大崎2-1-1
TEL　050-3101-9968
発売元　株式会社星雲社（共同出版社・流通責任出版社）
〒112-0005　東京都文京区水道1-3-30
TEL　03-3868-3275
担当編集　藤原大樹
装丁　木村デザイン・ラボ
印刷所　図書印刷株式会社

Printed in Japan
ISBN978-4-434-31881-8

ファンレター、作品のご感想をお待ちしております。
右のQRコードから専用フォームにアクセスし、作品と宛先を入力の上、
コメントをお寄せ下さい。

※アクセスの際に発生する通信費等はご負担ください。